Hernani

Le Dernier Jour d'un condamné, Librio n° 70
La Légende des siècles, Librio n° 341
Lucrèce Borgia, Librio n° 517
Ruy Blas, Librio n° 719
Claude Gueux, Librio n° 1039

Victor Hugo

Hernani

Representé pour la première fois
le 25 février 1830 à la Comédie Française

Librio
Texte intégral

Préface de Victor Hugo

L'auteur de ce drame écrivait il y a peu de semaines à propos d'un poète mort avant l'âge :

« ... Dans ce moment de mêlée et de tourmente littéraire, qui faut-il plaindre, ceux qui meurent ou ceux qui combattent ? Sans doute, il est triste de voir un poète de vingt ans qui s'en va, une lyre qui se brise, un avenir qui s'évanouit ; mais n'est-ce pas quelque chose aussi que le repos ? N'est-il pas permis à ceux autour desquels s'amassent incessamment calomnies, injures, haines, jalousies, sourdes menées, basses trahisons ; hommes loyaux auxquels on fait une guerre déloyale ; hommes dévoués qui ne voudraient enfin que doter le pays d'une liberté de plus, celle de l'art, celle de l'intelligence ; hommes laborieux qui poursuivent paisiblement leur œuvre de conscience, en proie d'un côté à de viles machinations de censure et de police, en butte de l'autre, trop souvent, à l'ingratitude des esprits mêmes pour lesquels ils travaillent ; ne leur est-il pas permis de retourner quelquefois la tête avec envie vers ceux qui sont tombés derrière eux et qui dorment dans le tombeau ? *Invideo*, disait Luther dans le cimetière de Worms, *invideo, quia quiescunt*[1].

« Qu'importe toutefois ? Jeunes gens, ayons bon courage ! Si rude qu'on veuille nous faire le présent, l'avenir sera beau. Le romantisme tant de fois mal défini, n'est à tout prendre, et c'est là sa définition réelle si l'on ne l'envisage que sous son côté militant, que le *libéralisme* en littérature. Cette vérité est déjà comprise à peu près de tous les bons esprits, et le nombre en est grand ;

---

1. « Je les envie parce qu'ils reposent. »

et bientôt, car l'œuvre est déjà bien avancée, le libéralisme littéraire ne sera pas moins populaire que le libéralisme politique. La liberté dans l'art, la liberté dans la société, voilà le double but auquel doivent tendre d'un même pas tous les esprits conséquents et logiques : voilà la double bannière qui rallie, à bien peu d'intelligences près (lesquelles s'éclaireront), toute la jeunesse si forte et si patiente aujourd'hui ; puis, avec la jeunesse et à sa tête, l'élite de la génération qui nous a précédés, tous ces sages vieillards qui, après le premier moment de défiance et d'examen, ont reconnu que ce que font leurs fils est une conséquence de ce qu'ils ont fait eux-mêmes, et que la liberté littéraire est fille de la liberté politique. Ce principe est celui du siècle, et prévaudra. Les *Ultras* de tout genre, classiques ou monarchiques, auront beau se prêter secours pour refaire l'ancien régime de toutes pièces, société et littérature ; chaque progrès du pays, chaque développement des intelligences, chaque pas de la liberté fera crouler tout ce qu'ils auront échafaudé. Et, en définitive, leurs efforts de réaction auront été utiles. En révolution, tout mouvement fait avancer. La vérité et la liberté ont cela d'excellent que tout ce qu'on fait pour elles et tout ce qu'on fait contre elles les sert également. Or, après tant de grandes choses que nos pères ont faites, et que nous avons vues, nous voilà sortis de la vieille forme sociale ; comment ne sortirions-nous pas de la vieille forme poétique ? À peuple nouveau, art nouveau. Tout en admirant la littérature de Louis XIV si bien adaptée à sa monarchie, elle saura bien avoir sa littérature propre et personnelle et nationale, cette France actuelle, cette France du xixᵉ siècle, à qui Mirabeau a fait sa liberté et Napoléon sa puissance. »

Qu'on pardonne à l'auteur de ce drame de se citer lui-même ; ses paroles ont si peu le don de se graver dans les esprits, qu'il aurait souvent besoin de les rappeler. D'ailleurs, aujourd'hui, il n'est peut-être point hors de propos de remettre sous les yeux des lecteurs les deux pages qu'on vient de transcrire. Ce n'est pas que ce drame puisse en rien mériter le beau nom d'*art nouveau*, de *poésie nouvelle*, loin de là ; mais c'est que le principe de la liberté en littérature vient de faire un pas ; c'est qu'un progrès vient de s'accomplir, non dans l'art, ce drame est trop peu de chose, mais dans le public ; c'est que, sous ce rapport du moins, une partie des pronostics hasardés plus haut viennent de se réaliser.

Il y avait péril, en effet, à changer ainsi brusquement d'auditoire, à risquer sur le théâtre des tentatives confiées jusqu'ici seulement au papier qui *souffre tout* ; le public des livres est bien différent du public des spectacles, et l'on pouvait craindre de voir le second repousser ce que le premier avait accepté. Il n'en a rien été. Le principe de la liberté littéraire, déjà compris par le monde qui lit et qui médite, n'a pas été moins complètement adopté par cette immense foule, avide des pures émotions de l'art, qui inonde chaque soir les théâtres de Paris. Cette voix haute et puissante du peuple, qui ressemble à celle de Dieu, veut désormais que la poésie ait la même devise que la politique : TOLÉRANCE ET LIBERTÉ.

Maintenant, vienne le poète ! Il y a un public.

Et cette liberté, le public la veut telle qu'elle doit être, se conciliant avec l'ordre, dans l'État, avec l'art, dans la littérature. La liberté a une sagesse qui lui est propre, et sans laquelle elle n'est pas complète. Que les vieilles règles de d'Aubignac meurent avec les vieilles coutumes de Cujas, cela est bien ; qu'à une littérature de cour succède une littérature de peuple, cela est mieux encore ; mais surtout qu'une raison intérieure se rencontre au fond de toutes ces nouveautés. Que le principe de liberté fasse son affaire, mais qu'il la fasse bien. Dans les lettres, comme dans la société, point d'étiquette, point d'anarchie : des lois. Ni talons rouges, ni bonnets rouges.

Voilà ce que veut le public, et il veut bien. Quant à nous, par déférence pour ce public qui a accueilli avec tant d'indulgence un essai qui en méritait si peu, nous lui donnons ce drame aujourd'hui tel qu'il a été représenté. Le jour viendra peut-être de le publier tel qu'il a été conçu par l'auteur, en indiquant et en discutant les modifications que la scène lui a fait subir. Ces détails de critique peuvent ne pas être sans intérêt ni sans enseignements, mais ils sembleraient minutieux aujourd'hui ; la liberté de l'art est admise, la question principale est résolue ; à quoi bon s'arrêter aux questions secondaires ? nous y reviendrons du reste quelque jour, et nous parlerons aussi, bien en détail, en la ruinant par les raisonnements et par les faits, de cette censure dramatique qui est le seul obstacle à la liberté du théâtre, maintenant qu'il n'y en a plus dans le public. Nous essaierons, à nos risques et périls et par dévouement aux choses de l'art, de caractériser les mille abus de cette petite inquisition de l'esprit, qui a, comme l'autre saint-office, ses juges secrets, ses bourreaux masqués, ses tortures, ses mutilations et sa peine de mort. Nous déchirerons, s'il se peut, ces langes de police dont il est honteux que le théâtre soit encore emmailloté au xixe siècle.

Aujourd'hui, il ne doit y avoir place que pour la reconnaissance et les remerciements. C'est au public que l'auteur de ce drame adresse les siens, et du fond du cœur. Cette œuvre, non de talent, mais de conscience et de liberté, a été généreusement protégée contre bien des inimitiés par le public, parce que le public est toujours aussi, lui, consciencieux et libre. Grâces lui soient donc rendues, ainsi qu'à cette jeunesse puissante qui a porté aide et faveur à l'ouvrage d'un jeune homme sincère et indépendant comme elle ! C'est pour elle surtout qu'il travaille, parce que ce serait une gloire bien haute que l'applaudissement de cette élite de jeunes hommes intelligente, logique, conséquente, vraiment libérale en littérature comme en politique, noble génération qui ne se refuse pas à ouvrir les deux yeux à la vérité et à recevoir la lumière des deux côtés.

Quant à son œuvre en elle-même, il n'en parlera pas. Il accepte les critiques qui en ont été faites, les plus sévères comme les plus bienveillantes, parce qu'on peut profiter à toutes. Il n'ose se flatter que tout le monde ait compris du premier coup ce drame, dont le *Romancero General* est la véritable clef. Il prierait volontiers les personnes que cet ouvrage a pu choquer de relire *Le Cid, Don Sanche, Nicomède*, ou plutôt tout Corneille et tout Molière, ces grands et admirables poètes. Cette lecture, si pourtant elles veulent bien faire d'abord la part de l'immense infériorité de l'auteur d'*Hernani*, les rendra peut-être moins sévères pour certaines choses qui ont pu les blesser dans la forme ou dans le fond de ce drame. En somme, le moment n'est peut-être pas encore venu de le juger. *Hernani* n'est jusqu'ici que la première pierre d'un édifice qui existe tout construit dans la tête de son auteur, mais dont l'ensemble peut seul donner quelque valeur à ce drame. Peut-être ne trouvera-t-on pas mauvaise un jour la fantaisie qu'il lui a pris de mettre, comme l'architecte de Bourges, une porte presque mauresque à sa cathédrale gothique.

En attendant, ce qu'il a fait est bien peu de chose, il le sait. Puissent le temps et la force ne pas lui manquer pour achever son œuvre ! Elle ne vaudra qu'autant qu'elle sera terminée. Il n'est pas de ces poètes privilégiés qui peuvent mourir ou s'interrompre avant d'avoir fini, sans péril pour leur mémoire ; il n'est pas de ceux qui restent grands, même sans avoir complété leur ouvrage, heureux hommes dont on peut dire ce que Virgile disait de Carthage ébauchée :

> *Pendent opera interrupta minaeque*
> *Murorum ingentes[1]!*

(9 mars 1830.)

1. « Les ouvrages interrompus restent en suspens – et les menaces énormes de remparts » (Virgile, *Énéide*, IV)

HERNANI

Drame

PERSONNAGES

HERNANI
DON CARLOS
DON RUY GOMEZ DE SILVA
DOÑA SOL DE SILVA
LE ROI DE BOHÊME
LE DUC DE BAVIÈRE
LE DUC DE GOTHA
LE BARON DE HOHENBOURG
LE DUC DE LUTZELBOURG
IAQUEZ
DON SANCHO
DON MATIAS
DON RICARDO
DON GARCI SUAREZ
DON FRANCISCO
DON JUAN DE HARO
DON PEDRO GUZMAN DE LARA
DON GIL TELLEZ GIRON
DOÑA JOSEFA DUARTE
Un Montagnard
Une Dame
Premier Conjuré
Deuxième Conjuré
Troisième Conjuré
Conjurés de la Ligue sacro-sainte, allemands et espagnols
Montagnards, Seigneurs, Soldats, Pages, Peuple, etc.

Espagne – 1519.

LE ROI

SARAGOSSE
Une chambre à coucher. La nuit. Une lampe sur une table.

SCÈNE PREMIÈRE

Doña Josefa Duarte, *vieille ; en noir, avec le corps de sa jupe cousu de jais, à la mode d'Isabelle la Catholique,* Don Carlos

Doña Josefa, *seule.*
Elle ferme les rideaux cramoisis de la fenêtre et met en ordre quelques fauteuils. On frappe à une petite porte dérobée à droite. Elle écoute. On frappe un second coup.

1   Serait-ce déjà lui ?

Un nouveau coup.

C'est bien à l'escalier
Dérobé.

Un quatrième coup.

Vite, ouvrons !

Elle ouvre la petite porte masquée. Entre don Carlos, le manteau sur le nez et le chapeau sur les yeux.

Bonjour, beau cavalier.

Elle l'introduit. Il écarte son manteau et laisse voir un riche costume de velours et de soie, à la mode castillane de 1519. Elle le regarde sous le nez et recule, étonnée.

Quoi, seigneur Hernani, ce n'est pas vous ! – Main-forte !
Au feu !

DON CARLOS, *lui saisissant le bras.*

Deux mots de plus, duègne, vous êtes morte !

Il la regarde fixement. Elle se tait effrayée.

5   Suis-je chez doña Sol ? fiancée au vieux duc
De Pastraña, son oncle, un bon seigneur, caduc,
Vénérable et jaloux ? Dites ? La belle adore
Un cavalier sans barbe et sans moustache encore,
Et reçoit tous les soirs, malgré les envieux,
10   Le jeune amant sans barbe à la barbe du vieux.
Suis-je bien informé ?

Elle se tait. Il la secoue par le bras.

Vous répondrez peut-être ?

DOÑA JOSEFA

Vous m'avez défendu de dire deux mots, maître.

DON CARLOS

Aussi n'en veux-je qu'un. – Oui, – non. – Ta dame est bien
Doña Sol de Silva ? parle.

DOÑA JOSEFA

Oui. – Pourquoi ?

DON CARLOS

Pour rien.

15   Le duc, son vieux futur, est absent à cette heure ?

DOÑA JOSEFA

Oui.

DON CARLOS

Sans doute elle attend son jeune ?

DOÑA JOSEFA

Oui.

DON CARLOS

Que je meure !

DOÑA JOSEFA

Oui.

DON CARLOS
Duègne ! c'est ici qu'aura lieu l'entretien ?

DOÑA JOSEFA
Oui.

DON CARLOS
Cache-moi céans !

DOÑA JOSEFA
Vous !

DON CARLOS
Moi.

DOÑA JOSEFA
Pourquoi ?

DON CARLOS
Pour rien.

DOÑA JOSEFA
Moi vous cacher !

DON CARLOS
Ici.

DOÑA JOSEFA
Jamais !

DON CARLOS, *tirant de sa ceinture une bourse et un poignard.*
Daignez, madame,
20   Choisir de cette bourse ou bien de cette lame.

DOÑA JOSEFA, *prenant la bourse.*
Vous êtes donc le diable ?

DON CARLOS
Oui, duègne.

DOÑA JOSEFA, *ouvrant une armoire étroite dans le mur.*
Entrez ici.

DON CARLOS, *examinant l'armoire.*
Cette boîte !

DOÑA JOSEFA, *la refermant.*
Va-t'en si tu n'en veux pas !

DON CARLOS, *rouvrant l'armoire.*
Si !

L'examinant encore.

Serait-ce l'écurie où tu mets d'aventure
Le manche du balai qui te sert de monture ?

Il s'y blottit avec peine.

25 Ouf !

DOÑA JOSEFA, *joignant les mains avec scandale.*
Un homme ici !

DON CARLOS, *dans l'armoire restée ouverte.*
C'est une femme – est-ce pas –
Qu'attendait ta maîtresse ?

DOÑA JOSEFA
Ô ciel ! j'entends le pas
De doña Sol. – Seigneur, fermez vite la porte.

Elle pousse la porte de l'armoire qui se referme.

DON CARLOS, *de l'intérieur de l'armoire.*
Si vous dites un mot, duègne, vous êtes morte !

DOÑA JOSEFA, *seule.*
Qu'est cet homme ? Jésus mon Dieu ! si j'appelais ?...
30 Qui ? – Hors Madame et moi, tout dort dans le palais.
– Bah ! l'autre va venir ; la chose le regarde.
Il a sa bonne épée, et que le ciel nous garde
De l'enfer !

Pesant la bourse.

Après tout, ce n'est pas un voleur.

Entre doña Sol, en blanc. Doña Josefa cache la bourse.

SCÈNE II

Doña Josefa, Don Carlos, *caché*, Doña Sol, *puis* Hernani

Doña Sol

Josefa !

Doña Josefa

Madame !

Doña Sol

Ah ! je crains quelque malheur.
35 Hernani devrait être ici !

Bruit de pas à la petite porte.

Voici qu'il monte !
Ouvre avant qu'il ne frappe, et fais vite, et sois prompte !

*Josefa ouvre la petite porte. Entre Hernani. Grand man-
teau, grand chapeau. Dessous, un costume de montagnard
d'Aragon, gris, avec une cuirasse de cuir ;
une épée, un poignard et un cor à sa ceinture.*

Doña Sol, *courant à lui.*

Hernani !

Hernani

Doña Sol ! Ah ! c'est vous que je vois
Enfin ! et cette voix qui parle est votre voix !
Pourquoi le sort mit-il mes jours si loin des vôtres ?
40 J'ai tant besoin de vous pour oublier les autres !

Doña Sol, *touchant ses vêtements.*
Jésus ! votre manteau ruisselle ! il pleut donc bien ?

Hernani

Je ne sais.

Doña Sol

Vous devez avoir froid ?

Hernani

Ce n'est rien.

DOÑA SOL

Ôtez donc ce manteau !

HERNANI

Doña Sol, mon amie !
Dites-moi, quand la nuit vous êtes endormie,
45 Calme, innocente et pure, et qu'un sommeil joyeux
Entrouvre votre bouche et du doigt clôt vos yeux,
Un ange vous dit-il combien vous êtes douce
Au malheureux que tout abandonne et repousse ?

DOÑA SOL

Vous avez bien tardé, seigneur ! mais dites-moi
50 Si vous avez froid ?

HERNANI

Moi ! je brûle près de toi !
Ah ! quand l'amour jaloux bouillonne dans nos têtes,
Quand notre cœur se gonfle et s'emplit de tempêtes,
Qu'importe ce que peut un nuage des airs
Nous jeter en passant de tempête et d'éclairs !

DOÑA SOL, *lui défaisant son manteau.*

55 Allons ! donnez la cape et l'épée avec elle !

HERNANI, *la main sur son épée.*

Non. C'est mon autre amie, innocente et fidèle.
— Doña Sol, le vieux duc, votre futur époux,
Votre oncle, est donc absent ?

DOÑA SOL

Oui, cette heure est à nous.

HERNANI

Cette heure ! et voilà tout. Pour nous, plus rien qu'une heure,
60 Après, qu'importe ! Il faut qu'on oublie ou qu'on meure.
Ange ! une heure avec vous ! une heure, en vérité,
À qui voudrait la vie, et puis l'éternité !

DOÑA SOL

Hernani !

HERNANI, *amèrement*.
Que je suis heureux que le duc sorte !
Comme un larron qui tremble et qui force une porte,
65 Vite, j'entre, et vous vois, et dérobe au vieillard
Une heure de vos chants et de votre regard,
Et je suis bien heureux, et sans doute on m'envie
De lui voler une heure, et lui me prend ma vie !

DOÑA SOL
Calmez-vous.

Remettant le manteau à la duègne.

Josefa, fais sécher le manteau.

Josefa sort.
Elle s'assied et fait signe à Hernani de venir près d'elle.
70 Venez là.

HERNANI, *sans l'entendre.*
Donc le duc est absent du château ?

DOÑA SOL, *souriant.*
Comme vous êtes grand !

HERNANI
Il est absent !

DOÑA SOL
Chère âme,
Ne pensons plus au duc.

HERNANI
Ah ! pensons-y, Madame !
Ce vieillard ! il vous aime, il va vous épouser !
Quoi donc ! vous prit-il pas l'autre jour un baiser ?
75 N'y plus penser.

DOÑA SOL, *riant.*
C'est là ce qui vous désespère !
Un baiser d'oncle ! au front ! presque un baiser de père !

HERNANI
Non. Un baiser d'amant, de mari, de jaloux.

Ah ! vous serez à lui, Madame, y pensez-vous !
Ô l'insensé vieillard, qui, la tête inclinée,
80 Pour achever sa route et finir sa journée,
A besoin d'une femme, et va, spectre glacé,
Prendre une jeune fille ! Ô vieillard insensé !
Pendant que d'une main il s'attache à la vôtre,
Ne voit-il pas la mort qui l'épouse de l'autre ?
85 Il vient dans nos amours se jeter sans frayeur ?
Vieillard, va-t'en donner mesure au fossoyeur !
– Qui fait ce mariage ? on vous force, j'espère !

DOÑA SOL

Le roi, dit-on, le veut.

HERNANI

            Le roi ! le roi ! mon père
Est mort sur l'échafaud, condamné par le sien.
90 Or, quoiqu'on ait vieilli depuis ce fait ancien,
Pour l'ombre du feu roi, pour son fils, pour sa veuve,
Pour tous les siens, ma haine est encor toute neuve !
Lui, mort, ne compte plus. Et, tout enfant, je fis
Le serment de venger mon père sur son fils.
95 Je te cherchais partout, Carlos, roi des Castilles !
Car la haine est vivace entre nos deux familles.
Les pères ont lutté sans pitié, sans remords,
Trente ans ! Or, c'est en vain que les pères sont morts,
Leur haine vit. Pour eux la paix n'est point venue,
100 Car les fils sont debout, et le duel continue.
Ah ! c'est donc toi qui veux cet exécrable hymen !
Tant mieux. Je te cherchais, tu viens dans mon chemin !

DOÑA SOL

Vous m'effrayez !

HERNANI

            Chargé d'un mandat d'anathème,
Il faut que j'en arrive à m'effrayer moi-même !
105 Écoutez : l'homme auquel, jeune, on vous destina,
Ruy de Silva, votre oncle, est duc de Pastraña,
Riche homme d'Aragon, comte et grand de Castille.
À défaut de jeunesse, il peut, ô jeune fille,

Vous apporter tant d'or, de bijoux, de joyaux,
10   Que votre front reluise entre des fronts royaux,
Et pour le rang, l'orgueil, la gloire et la richesse,
Mainte reine peut-être enviera sa duchesse !
Voilà donc ce qu'il est. Moi, je suis pauvre, et n'eus,
Tout enfant, que les bois où je fuyais pieds nus.
15   Peut-être aurais-je aussi quelque blason illustre
Qu'une rouille de sang à cette heure délustre ;
Peut-être ai-je des droits, dans l'ombre ensevelis,
Qu'un drap d'échafaud noir cache encor sous ses plis,
Et qui, si mon attente un jour n'est pas trompée,
20   Pourront de ce fourreau sortir avec l'épée.
En attendant, je n'ai reçu du ciel jaloux
Que l'air, le jour et l'eau, la dot qu'il donne à tous.
Or du duc ou de moi souffrez qu'on vous délivre.
Il faut choisir des deux : l'épouser, ou me suivre.

DOÑA SOL

25   Je vous suivrai.

HERNANI

Parmi nos rudes compagnons,
Proscrits, dont le bourreau sait d'avance les noms,
Gens dont jamais le fer ni le cœur ne s'émousse,
Ayant tous quelque sang à venger qui les pousse ?
Vous viendrez commander ma bande, comme on dit ?
30   Car, vous ne savez pas, moi, je suis un bandit !
Quand tout me poursuivait dans toutes les Espagnes,
Seule, dans ses forêts, dans ses hautes montagnes,
Dans ses rocs, où l'on n'est que de l'aigle aperçu,
La vieille Catalogne en mère m'a reçu.
35   Parmi ses montagnards, libres, pauvres et graves,
Je grandis, et demain, trois mille de ses braves,
Si ma voix dans leurs monts fait résonner ce cor,
Viendront... – Vous frissonnez ! réfléchissez encor.
Me suivre dans les bois, dans les monts, sur les grèves,
40   Chez des hommes pareils aux démons de vos rêves.
Soupçonner tout, les yeux, les voix, les pas, le bruit.
Dormir sur l'herbe, boire au torrent, et la nuit
Entendre, en allaitant quelque enfant qui s'éveille,

Les balles des mousquets siffler à votre oreille.

145 Être errante avec moi, proscrite, et s'il le faut
Me suivre où je suivrai mon père, – à l'échafaud.

DOÑA SOL

Je vous suivrai.

HERNANI

Le duc est riche, grand, prospère.
Le duc n'a pas de tache au vieux nom de son père.
Le duc peut tout. Le duc vous offre avec sa main
150 Trésors, titres, bonheur…

DOÑA SOL

Nous partirons demain.
Hernani, n'allez pas sur mon audace étrange
Me blâmer. Êtes-vous mon démon ou mon ange ?
Je ne sais. Mais je suis votre esclave. Écoutez,
Allez où vous voudrez, j'irai. Restez, partez,
155 Je suis à vous. Pourquoi fais-je ainsi ? je l'ignore.
J'ai besoin de vous voir et de vous voir encore
Et de vous voir toujours. Quand le bruit de vos pas
S'efface, alors je crois que mon cœur ne bat pas,
Vous me manquez, je suis absente de moi-même ;
160 Mais dès qu'enfin ce pas que j'attends et que j'aime
Vient frapper mon oreille, alors il me souvient
Que je vis, et je sens mon âme qui revient !

HERNANI, la serrant dans ses bras.

Ange !

DOÑA SOL

À minuit. Demain. Amenez votre escorte.
Sous ma fenêtre. Allez, je serai brave et forte.
165 Vous frapperez trois coups.

HERNANI

Savez-vous qui je suis,
Maintenant ?

DOÑA SOL

Monseigneur, qu'importe ! je vous suis.

HERNANI

Non. Puisque vous voulez me suivre, faible femme,
Il faut que vous sachiez quel nom, quel rang, quelle âme,
Quel destin est caché dans le pâtre Hernani.
70 Vous voulez d'un brigand ? voulez-vous d'un banni ?

DON CARLOS, *ouvrant avec fracas la porte de l'armoire.*
Quand aurez-vous fini de conter votre histoire ?
Croyez-vous donc qu'on soit à l'aise en cette armoire ?

*Hernani recule étonné. Doña Sol pousse un cri et se réfugie
dans ses bras, en fixant sur don Carlos des yeux effarés.*

HERNANI, *la main sur la garde de son épée.*
Quel est cet homme ?

DOÑA SOL
Ô ciel ! au secours !

HERNANI
Taisez-vous
Doña Sol ! vous donnez l'éveil aux yeux jaloux.
75 Quand je suis près de vous, veuillez, quoi qu'il advienne,
Ne réclamer jamais d'autre aide que la mienne.

À don Carlos.

Que faisiez-vous là ?

DON CARLOS
Moi ? – Mais, à ce qu'il paraît,
Je ne chevauchais pas à travers la forêt.

HERNANI
Qui raille après l'affront s'expose à faire rire
80 Aussi son héritier !

DON CARLOS
Chacun son tour. – Messire,
Parlons franc. Vous aimez Madame et ses yeux noirs,
Vous y venez mirer les vôtres tous les soirs,
C'est fort bien. J'aime aussi Madame, et veux connaître
Qui j'ai vu tant de fois entrer par la fenêtre,
85 Tandis que je restais à la porte.

HERNANI

En honneur,
Je vous ferai sortir par où j'entre, seigneur.

DON CARLOS

Nous verrons. J'offre donc mon amour à Madame.
Partageons. Voulez-vous ? J'ai vu dans sa belle âme
Tant d'amour, de bonté, de tendres sentiments,
190 Que Madame, à coup sûr, en a pour deux amants.
— Or, ce soir, voulant mettre à fin mon entreprise,
Pris, je pense, pour vous, j'entre ici par surprise,
Je me cache, j'écoute, à ne vous celer rien ;
Mais j'entendais très mal et j'étouffais très bien.
195 Et puis, je chiffonnais ma veste à la française.
Ma foi, je sors !

HERNANI

Ma dague aussi n'est pas à l'aise
Et veut sortir !

DON CARLOS, *le saluant.*
Monsieur, c'est comme il vous plaira.

HERNANI, *tirant son épée.*
En garde !

Don Carlos tire son épée.

DOÑA SOL, *se jetant entre eux deux.*
Hernani ! Ciel !

DON CARLOS
Calmez-vous, señora.

HERNANI, *à don Carlos.*
Dites-moi votre nom.

DON CARLOS
Hé ! dites-moi le vôtre !

HERNANI
200 Je le garde, secret et fatal, pour un autre
Qui doit un jour sentir, sous mon genou vainqueur,
Mon nom à son oreille, et ma dague à son cœur !

DON CARLOS

Alors, quel est le nom de l'autre ?

HERNANI
Que t'importe !

En garde ! défends-toi !

Ils croisent leurs épées. Doña Sol tombe tremblante sur
un fauteuil. On entend des coups à la porte.

DOÑA SOL, *se levant avec effroi.*
Ciel ! on frappe à la porte !

Les champions s'arrêtent. Entre Josefa par la petite porte
et tout effarée.

HERNANI, *à Josefa.*
Qui frappe ainsi ?

DOÑA JOSEFA, *à doña Sol.*
Madame ! un coup inattendu !

C'est le duc qui revient !

DOÑA SOL, *joignant les mains.*
Le duc ! tout est perdu !

Malheureuse !

DOÑA JOSEFA, *jetant les yeux autour d'elle.*
Jésus ! l'inconnu ! les épées !

On se battait. Voilà de belles équipées !

Les deux combattants remettent leurs épées dans
le fourreau. Don Carlos s'enveloppe dans son manteau
et rabat son chapeau sur ses yeux. On frappe.

HERNANI

Que faire ?

On frappe.

UNE VOIX, *au-dehors.*
Doña Sol, ouvrez-moi !

Doña Josefa fait un pas vers la porte. Hernani l'arrête.

HERNANI
N'ouvrez pas.

DOÑA JOSEFA, *tirant son chapelet.*
210   Saint Jacques monseigneur, tirez-nous de ce pas !

On frappe de nouveau.

HERNANI, *montrant l'armoire à don Carlos.*
Cachons-nous.

DON CARLOS
Dans l'armoire ?

HERNANI
Entrez-y. Je m'en charge.
Nous y tiendrons tous deux.

DON CARLOS
Grand merci, c'est trop large.

HERNANI, *montrant la petite porte.*
Fuyons par là.

DON CARLOS
Bonsoir, pour moi, je reste ici.

HERNANI
Ah ! tête et sang, Monsieur ! Vous me paierez ceci !

À doña Sol.

215   Si je barricadais l'entrée ?

DON CARLOS, *à Josefa.*
Ouvrez la porte.

HERNANI
Que dit-il ?

DON CARLOS, *à Josefa interdite.*
Ouvrez donc, vous dis-je !

On frappe toujours. Doña Josefa va ouvrir en tremblant.

DOÑA SOL
Je suis morte !

LES MÊMES, DON RUY GOMEZ DE SILVA,
barbe et cheveux blancs, en noir ; valets avec des flambeaux.

DON RUY GOMEZ

Des hommes chez ma nièce à cette heure de nuit !
Venez tous ! cela vaut la lumière et le bruit.

À doña Sol.

Par saint Jean d'Avila, je crois que, sur mon âme,
20 Nous sommes trois chez vous, c'est trop de deux, Madame.

Aux deux jeunes gens.

Mes jeunes cavaliers, que faites-vous céans ?
– Quand nous avions le Cid et Bernard, ces géants
De l'Espagne et du monde allaient par les Castilles
Honorant les vieillards et protégeant les filles.
25 C'étaient des hommes forts et qui trouvaient moins lourds
Leur fer et leur acier que vous votre velours.
Ces hommes-là portaient respect aux barbes grises,
Faisaient agenouiller leur amour aux églises,
Ne trahissaient personne, et donnaient pour raison
30 Qu'ils avaient à garder l'honneur de leur maison.
S'ils voulaient une femme, ils la prenaient sans tache,
En plein jour, devant tous, et l'épée, ou la hache,
Ou la lance à la main ! – Et quant à ces félons
Qui, le soir, et les yeux tournés vers leurs talons,
35 Ne fiant qu'à la nuit leurs manœuvres infâmes,
Par-derrière aux maris volent l'honneur des femmes,
J'affirme que le Cid, cet aïeul de nous tous,
Les eût tenus pour vils et fait mettre à genoux,
Et qu'il eût, dégradant leur noblesse usurpée,
40 Souffleté leur blason du plat de son épée !
Voilà ce que feraient, j'y songe avec ennui,
Les hommes d'autrefois aux hommes d'aujourd'hui.
– Qu'êtes-vous venus faire ici ? C'est donc à dire
Que je ne suis qu'un vieux dont les jeunes vont rire ?
45 On va rire de moi, soldat de Zamora !

Et quand je passerai, tête blanche, on rira !
Ce n'est pas vous du moins qui rirez !

HERNANI

Duc…

DON RUY GOMEZ

Silence !

Quoi ! vous avez l'épée, et la dague, et la lance,
La chasse, les festins, les meutes, les faucons,
250   Les chansons à chanter le soir sous les balcons,
Les plumes au chapeau, les casaques de soie,
Les bals, les carrousels, la jeunesse, la joie,
Enfants, l'ennui vous gagne ! À tout prix, au hasard,
Il vous faut un hochet. Vous prenez un vieillard !
255   Ah ! vous l'avez brisé, le hochet ! mais Dieu fasse
Qu'il vous puisse en éclats rejaillir à la face !
– Suivez-moi !

HERNANI

Seigneur duc…

DON RUY GOMEZ

Suivez-moi ! Suivez-moi !

Messieurs ! avons-nous fait cela pour rire ? Quoi !
Un trésor est chez moi : c'est l'honneur d'une fille,
260   D'une femme, l'honneur de toute une famille ;
Cette fille, je l'aime, elle est ma nièce, et doit
Bientôt changer sa bague à l'anneau de mon doigt.
Je la crois chaste et pure et sacrée à tout homme ;
Or il faut que je sorte une heure, et moi qu'on nomme
265   Ruy Gomez de Silva, je ne puis l'essayer
Sans qu'un larron d'honneur se glisse à mon foyer !
Arrière ! lavez donc vos mains, hommes sans âmes,
Car, rien qu'en y touchant, vous nous tachez nos femmes !
Non. C'est bien. Poursuivez. Ai-je autre chose encor ?

Il arrache son collier.

270   Tenez, foulez aux pieds, foulez ma Toison d'Or.

Il jette son chapeau.

Arrachez mes cheveux, faites-en chose vile !
Et vous pourrez demain vous vanter par la ville
Que jamais débauchés, dans leurs jeux insolents,
N'ont sur plus noble front souillé cheveux plus blancs !

DOÑA SOL

75 Monseigneur...

DON RUY GOMEZ, *à ses valets.*
Écuyers ! écuyers ! à mon aide !
Ma hache, mon poignard, ma dague de Tolède !

Aux deux jeunes gens.

Et suivez-moi tous deux.

DON CARLOS, *faisant un pas.*
Duc, ce n'est pas d'abord
De cela qu'il s'agit. Il s'agit de la mort
De Maximilien, empereur d'Allemagne.

*Il jette son manteau, et découvre
son visage caché par son chapeau.*

DON RUY GOMEZ

80 Raillez-vous ?... Dieu ! le Roi !

DOÑA SOL
Le Roi !

HERNANI, *dont les yeux s'allument.*
Le Roi d'Espagne !

DON CARLOS, *gravement.*
Oui, Carlos. – Seigneur duc, es-tu donc insensé ?
Mon aïeul l'empereur est mort. Je ne le sai
Que de ce soir. Je viens tout en hâte et moi-même
Dire la chose à toi, féal sujet que j'aime,
85 Te demander conseil, incognito, la nuit,
Et l'affaire est bien simple, et voilà bien du bruit !

*Don Ruy Gomez renvoie ses gens d'un signe. Il
s'approche de don Carlos que doña Sol examine avec*

crainte et surprise, et sur lequel Hernani, demeuré dans
un coin, fixe des yeux étincelants.

DON RUY GOMEZ

Mais pourquoi tarder tant à m'ouvrir cette porte ?

DON CARLOS

Belle raison ! tu viens avec toute une escorte !
Quand un secret d'État m'amène en ton palais,
290 Duc, est-ce pour l'aller dire à tous tes valets ?

DON RUY GOMEZ

Altesse, pardonnez... l'apparence...

DON CARLOS

                    Bon père,
Je t'ai fait gouverneur du château de Figuère ;
Mais qui dois-je à présent faire ton gouverneur ?

DON RUY GOMEZ

Pardonnez...

DON CARLOS

      Il suffit. N'en parlons plus, seigneur.
295 Donc l'empereur est mort.

DON RUY GOMEZ

               L'aïeul de Votre Altesse
Est mort ?

DON CARLOS

     Duc, tu m'en vois pénétré de tristesse.

DON RUY GOMEZ

Qui lui succède ?

DON CARLOS

        Un duc de Saxe est sur les rangs.
François Premier, de France, est un des concurrents.

DON RUY GOMEZ

Où vont se rassembler les électeurs d'empire ?

DON CARLOS

300 Ils ont choisi, je crois, Aix-la-Chapelle, – ou Spire,
– Ou Francfort.

DON RUY GOMEZ

   Notre roi, dont Dieu garde les jours,
N'a-t-il pensé jamais à l'empire ?

DON CARLOS

    Toujours.

DON RUY GOMEZ

C'est à vous qu'il revient.

DON CARLOS

    Je le sais.

DON RUY GOMEZ

     Votre père
Fut archiduc d'Autriche, et l'empire, j'espère,
05 Aura ceci présent, que c'était votre aïeul
Celui qui vient de choir de la pourpre au linceul.

DON CARLOS

Et puis on est bourgeois de Gand.

DON RUY GOMEZ

     Dans mon jeune âge
Je le vis, votre aïeul. Hélas ! seul je surnage
D'un siècle tout entier. Tout est mort à présent.
10 C'était un empereur magnifique et puissant.

DON CARLOS

Rome est pour moi.

DON RUY GOMEZ

    Vaillant, ferme, point tyrannique.
Cette tête allait bien au vieux corps germanique !

Il s'incline sur les mains du roi et les baise.

Que je vous plains ! – Si jeune, en un tel deuil plongé !

DON CARLOS

Le pape veut ravoir la Sicile que j'ai ;
15 Un empereur ne peut posséder la Sicile.
Il me fait empereur : alors, en fils docile,
Je lui rends Naple. Ayons l'aigle, et puis nous verrons
Si je lui laisserai rogner les ailerons.

DON RUY GOMEZ

Qu'avec joie il verrait, ce vétéran du trône,
320 Votre front déjà large aller à sa couronne !
Ah ! seigneur, avec vous nous le pleurerons bien
Cet empereur très grand, très bon et très chrétien !

DON CARLOS

Le Saint-Père est adroit. – Qu'est-ce que la Sicile ?
C'est une île qui pend à mon royaume, une île,
325 Une pièce, un haillon, qui, tout déchiqueté,
Tient à peine à l'Espagne et qui traîne à côté.
– Que ferez-vous, mon fils, de cette île bossue,
Au monde impérial au bout d'un fil cousue ?
Votre empire est mal fait : vite, venez ici,
330 Des ciseaux ! et coupons ! – Très-Saint-Père, merci !
Car de ces pièces-là, si j'ai bonne fortune,
Je compte au saint-empire en recoudre plus d'une,
Et si quelques lambeaux m'en étaient arrachés,
Rapiécer mes États d'îles et de duchés !

DON RUY GOMEZ

335 Consolez-vous ! Il est un empire des justes
Où l'on revoit les morts plus saints et plus augustes !

DON CARLOS

Ce roi François Premier, c'est un ambitieux !
Le vieil empereur mort, vite ! il fait les doux yeux
À l'empire ! A-t-il pas sa France très chrétienne ?
340 Ah ! la part est pourtant belle, et vaut qu'on s'y tienne !
L'empereur mon aïeul disait au roi Louis :
– Si j'étais Dieu le père, et si j'avais deux fils,
Je ferais l'aîné Dieu, le second roi de France. –

Au duc.

Crois-tu que François puisse avoir quelque espérance ?

DON RUY GOMEZ

345 C'est un victorieux.

DON CARLOS

Il faudrait tout changer.
La bulle d'or défend d'élire un étranger.

DON RUY GOMEZ

À ce compte, Seigneur, vous êtes roi d'Espagne ?

DON CARLOS

Je suis bourgeois de Gand.

DON RUY GOMEZ

La dernière campagne
A fait monter bien haut le roi François Premier.

DON CARLOS

50 L'aigle qui va peut-être éclore à mon cimier
Peut aussi déployer ses ailes.

DON RUY GOMEZ

Votre Altesse
Sait-elle le latin ?

DON CARLOS

Mal.

DON RUY GOMEZ

Tant pis. La noblesse
D'Allemagne aime fort qu'on lui parle latin.

DON CARLOS

Ils se contenteront d'un espagnol hautain,
55 Car il importe peu, croyez-en le roi Charle,
Quand la voix parle haut, quelle langue elle parle.
– Je vais en Flandre. Il faut que ton roi, cher Silva,
Te revienne empereur. Le roi de France va
Tout remuer. Je veux le gagner de vitesse.
60 Je partirai sous peu.

DON RUY GOMEZ

Vous nous quittez, Altesse,
Sans purger l'Aragon de ces nouveaux bandits
Qui partout dans nos monts lèvent leurs fronts hardis ?

DON CARLOS

J'ordonne au duc d'Arcos d'exterminer la bande.

DON RUY GOMEZ

Donnez-vous aussi l'ordre au chef qui la commande
365 De se laisser faire ?

DON CARLOS

Hé ! quel est ce chef ? son nom ?

DON RUY GOMEZ

Je l'ignore. On le dit un rude compagnon.

DON CARLOS

Bah ! je sais que pour l'heure il se cache en Galice,
Et j'en aurai raison avec quelque milice.

DON RUY GOMEZ

De faux avis alors le disaient près d'ici.

DON CARLOS

370 Faux avis ! – Cette nuit tu me loges.

DON RUY GOMEZ, *s'inclinant jusqu'à terre.*
Merci,
Altesse !

Il appelle ses valets.

Faites tous honneur au roi mon hôte !

*Les valets rentrent avec des flambeaux. Le duc les range
sur deux haies jusqu'à la porte du fond. Cependant,
doña Sol s'approche lentement d'Hernani. Le roi les épie
tous deux.*

DOÑA SOL, *bas à Hernani.*
Demain, sous ma fenêtre, à minuit, et sans faute.
Vous frapperez des mains trois fois.

HERNANI, *bas.*
Demain.

DON CARLOS, *à part.*
Demain !

Haut à doña Sol vers laquelle il fait un pas avec galanterie.

Souffrez que pour rentrer je vous offre la main.

Il la reconduit à la porte. Elle sort.

HERNANI, *la main dans sa poitrine sur la poignée de sa dague.*
75 Mon bon poignard !

DON CARLOS, *revenant, à part.*
Notre homme a la mine attrapée.

Il prend à part Hernani.

Je vous ai fait l'honneur de toucher votre épée,
Monsieur. Vous me seriez suspect pour cent raisons.
Mais le roi don Carlos répugne aux trahisons.
Allez. Je daigne encor protéger votre fuite.

DON RUY GOMEZ, *revenant et montrant Hernani.*
80 Qu'est ce seigneur ?

DON CARLOS
Il part. C'est quelqu'un de ma suite.

Ils sortent avec les valets et les flambeaux,
le duc précédant le roi, une cire à la main.

SCÈNE IV

HERNANI, *seul*

Oui, de ta suite, ô roi ! de ta suite ! – J'en suis.
Nuit et jour, en effet, pas à pas, je te suis !
Un poignard à la main, l'œil fixé sur ta trace,
Je vais ! Ma race en moi poursuit en toi ta race !
85 Et puis, te voilà donc mon rival ! un instant
Entre aimer et haïr je suis resté flottant,
Mon cœur pour elle et toi n'était point assez large,
J'oubliais en l'aimant ta haine qui me charge,
Mais puisque tu le veux, puisque c'est toi qui viens
90 Me faire souvenir, c'est bon, je me souviens !
Mon amour fait pencher la balance incertaine
Et tombe tout entier du côté de ma haine.
Oui, je suis de ta suite, et c'est toi qui l'as dit !
Va, jamais courtisan de ton lever maudit,

395   Jamais seigneur baisant ton ombre, ou majordome
       Ayant à te servir abjuré son cœur d'homme,
       Jamais chiens de palais dressés à suivre un roi,
       Ne seront sur tes pas plus assidus que moi !
       Ce qu'ils veulent de toi, tous ces grands de Castille,
400   C'est quelque titre creux, quelque hochet qui brille,
       C'est quelque mouton d'or qu'on se va pendre au cou ;
       Moi, pour vouloir si peu je ne suis pas si fou !
       Ce que je veux de toi, ce n'est point faveurs vaines,
       C'est l'âme de ton corps, c'est le sang de tes veines.
405   C'est tout ce qu'un poignard, furieux et vainqueur,
       En y fouillant longtemps peut prendre au fond d'un cœur !
       Va devant ! je te suis. Ma vengeance qui veille
       Avec moi toujours marche et me parle à l'oreille !
       Va ! je suis là, j'épie et j'écoute, et sans bruit
410   Mon pas cherche ton pas et le presse et le suit !
       Le jour tu ne pourras, ô roi, tourner la tête,
       Sans me voir immobile et sombre dans ta fête,
       La nuit tu ne pourras tourner les yeux, ô roi,
       Sans voir mes yeux ardents luire derrière toi !

Il sort par la petite porte.

ACTE II

LE BANDIT

SARAGOSSE

*Un patio du palais de Silva. – À gauche, les grands murs
du palais, avec une fenêtre à balcon. Au-dessous de la
fenêtre, une petite porte. À droite et au fond, des maisons
et des rues. – Il est nuit. On voit briller çà et là, aux
façades des édifices, quelques fenêtres encore éclairées.*

SCÈNE PREMIÈRE

DON CARLOS,
DON SANCHO SANCHEZ DE ZUNIGA, *comte de Monterey*,
DON MATIAS CENTURION, *marquis d'Almuñan*,
DON RICARDO DE ROXAS, *seigneur de Casapalma*

*Ils arrivent tous quatre, don Carlos en tête, chapeaux rabattus, enve-
loppés de longs manteaux dont leurs épées soulèvent le bord inférieur.*

DON CARLOS, *examinant le balcon.*

15 Voilà bien le balcon, la porte… mon sang bout.

Montrant la fenêtre qui n'est pas éclairée.

Pas de lumière encor !

Il promène ses yeux sur les autres croisées éclairées.

Des lumières partout
Où je n'en voudrais pas, hors à cette fenêtre
Où j'en voudrais !

DON SANCHO
Seigneur, reparlons de ce traître.
Et vous l'avez laissé partir !

37

DON CARLOS

Comme tu dis !

DON MATIAS

420 Et peut-être c'était le major des bandits !

DON CARLOS

Qu'il en soit le major ou bien le capitaine,
Jamais roi couronné n'eut mine plus hautaine.

DON SANCHO

Son nom, seigneur ?

DON CARLOS, *les yeux fixés sur la fenêtre.*

Muñoz… Fernan…

Avec le geste d'un homme qui se rappelle tout à coup.

Un nom en i !

DON SANCHO

Hernani, peut-être ?

DON CARLOS

Oui.

DON SANCHO

C'est lui !

DON MATIAS

C'est Hernani !

425 Le chef !

DON SANCHO, *au roi.*

De ses propos vous reste-t-il mémoire ?

DON CARLOS, *qui ne quitte pas la fenêtre des yeux.*

Hé ! je n'entendais rien dans leur maudite armoire !

DON SANCHO

Mais pourquoi le lâcher lorsque vous le tenez ?

Don Carlos se tourne gravement et le regarde en face.

DON CARLOS

Comte de Monterey, vous me questionnez.

Les deux seigneurs reculent et se taisent.

Et d'ailleurs, ce n'est point le souci qui m'arrête.
30 J'en veux à sa maîtresse et non point à sa tête.
J'en suis amoureux fou ! Les yeux noirs les plus beaux,
Mes amis ! deux miroirs ! deux rayons ! deux flambeaux !
Je n'ai rien entendu de toute leur histoire
Que ces trois mots : – Demain, venez à la nuit noire !
35 Mais c'est l'essentiel. Est-ce pas excellent ?
Pendant que ce bandit, à mine de galant,
S'attarde à quelque meurtre, à creuser quelque tombe,
Je viens tout doucement dénicher sa colombe.

DON RICARDO

Altesse, il eût fallu, pour compléter le tour,
40 Dénicher la colombe en tuant le vautour.

DON CARLOS, *à don Ricardo.*
Comte ! un digne conseil ! vous avez la main prompte !

DON RICARDO, *s'inclinant profondément.*
Sous quel titre plaît-il au roi que je sois comte ?

DON SANCHO, *vivement.*
C'est méprise !

DON RICARDO, *à don Sancho.*
Le roi m'a nommé comte.

DON CARLOS
Assez !
Bien.

À Ricardo.

J'ai laissé tomber ce titre. Ramassez.

DON RICARDO, *s'inclinant de nouveau.*
45 Merci, seigneur !

DON SANCHO, *à don Matias.*
Beau comte ! un comte de surprise !

Le roi se promène au fond du théâtre, examinant avec impatience les fenêtres éclairées. Les deux seigneurs causent sur le devant de la scène.

DON MATIAS, *à don Sancho.*

Mais que fera le roi, la belle une fois prise ?

DON SANCHO, *regardant Ricardo de travers.*

Il la fera comtesse, et puis dame d'honneur.
Puis qu'il en ait un fils, il sera roi.

DON MATIAS

Seigneur !
Allons donc, un bâtard ! Comte, fût-on altesse,
450   On ne saurait tirer un roi d'une comtesse !

DON SANCHO

Il la fera marquise ; alors, mon cher marquis…

DON MATIAS

On garde les bâtards pour les pays conquis.
On les fait vice-rois. C'est à cela qu'ils servent.

Don Carlos revient.

DON CARLOS, *regardant avec colère toutes les fenêtres éclairées.*

Dirait-on pas des yeux jaloux qui nous observent ?
455   Enfin ! en voilà deux qui s'éteignent ! allons !
Messieurs, que les instants de l'attente sont longs !
Qui fera marcher l'heure avec plus de vitesse ?

DON SANCHO

C'est ce que nous disons souvent chez Votre Altesse.

DON CARLOS

Cependant que chez vous mon peuple le redit.

La dernière fenêtre éclairée s'éteint.

460   — La dernière est éteinte ! —

Tourné vers le balcon de doña Sol, toujours noir.

Ô vitrage maudit !
Quand t'éclaireras-tu ? — Cette nuit est bien sombre !
Doña Sol, viens briller comme un astre dans l'ombre !

À *don Ricardo.*

Est-il minuit ?

DON RICARDO
Minuit bientôt !

DON CARLOS
Il faut finir
Pourtant ! À tout moment l'autre peut survenir.

La fenêtre de doña Sol s'éclaire. On voit son ombre se dessiner sur
les vitraux lumineux.

65 Mes amis ! un flambeau ! son ombre à la fenêtre !
Jamais jour ne me fut plus charmant à voir naître.
Hâtons-nous ! faisons-lui le signal qu'elle attend.
Il faut frapper des mains trois fois. – Dans un instant,
Mes amis, vous allez la voir !... – Mais notre nombre
70 Va l'effrayer peut-être... – Allez tous trois dans l'ombre,
Là-bas, épier l'autre. Amis, partageons-nous
Les deux amants. Tenez, à moi la dame, à vous
Le brigand.

DON RICARDO
Grand merci !

DON CARLOS
S'il vient, de l'embuscade
Sortez vite, et poussez au drôle une estocade.
75 Pendant qu'il reprendra ses esprits sur le grès,
J'emporterai la belle, et nous rirons après.
N'allez pas cependant le tuer ! C'est un brave
Après tout, et la mort d'un homme est chose grave.

Les deux seigneurs s'inclinent et sortent. Don Carlos les laisse
s'éloigner, puis frappe des mains à deux reprises. À la deuxième
fois la fenêtre s'ouvre, et doña Sol paraît en blanc sur le balcon.

DON CARLOS, DOÑA SOL

DOÑA SOL, *au balcon.*

Est-ce vous, Hernani ?

DON CARLOS, *à part.*
Diable ! ne parlons pas !

Il frappe de nouveau des mains.

DOÑA SOL

480 Je descends.

Elle referme la fenêtre, dont la lumière disparaît. Un moment après, la petite porte s'ouvre, et doña Sol en sort sa lampe à la main, sa mante sur les épaules.

DOÑA SOL, *entrouvrant la porte.*
Hernani !

Don Carlos rabat son chapeau sur son visage et s'avance précipitamment vers elle.

DOÑA SOL, *laissant tomber sa lampe.*
Dieu ! ce n'est point son pas !

Elle veut rentrer. Don Carlos court à elle et la retient par le bras.

DON CARLOS

Doña Sol !

DOÑA SOL
Ce n'est point sa voix ! Ah ! malheureuse !

DON CARLOS
Eh ! quelle voix veux-tu, qui soit plus amoureuse ?
C'est toujours un amant, et c'est un amant roi !

DOÑA SOL

Le roi !

DON CARLOS
Souhaite, ordonne, un royaume est à toi !

35 Car celui dont tu veux briser la douce entrave
    C'est le roi ton seigneur ! c'est Carlos ton esclave !

> Doña Sol, *cherchant à se dégager de ses bras.*

Au secours, Hernani !

> Don Carlos

Le juste et digne effroi !
Ce n'est pas ton bandit qui te tient, c'est le roi !

> Doña Sol

Non. Le bandit, c'est vous. – N'avez-vous pas de honte ?
90 Ah ! pour vous à la face une rougeur me monte.
Sont-ce là les exploits dont le roi fera bruit ?
Venir ravir de force une femme la nuit !
Que mon bandit vaut mieux cent fois ! Roi, je proclame
Que, si l'homme naissait où le place son âme,
95 Si Dieu faisait le rang à la hauteur du cœur,
Certe, il serait le roi, prince, et vous le voleur !

> Don Carlos, *essayant de l'attirer.*

Madame...

> Doña Sol

Oubliez-vous que mon père était comte ?

> Don Carlos

Je vous ferai duchesse.

> Doña Sol, *le repoussant.*
> Allez ! c'est une honte !

> *Elle recule de quelques pas.*

Il ne peut être rien entre nous, don Carlos.
00 Mon vieux père a pour vous versé son sang à flots.
Moi je suis fille noble, et de ce sang jalouse.
Trop pour la concubine, et trop peu pour l'épouse !

> Don Carlos

Princesse !

> Doña Sol

Roi Carlos, à des filles de rien

Portez votre amourette, ou je pourrais fort bien,
505 Si vous m'osez traiter d'une façon infâme,
Vous montrer que je suis dame, et que je suis femme !

Don Carlos

Eh bien ! partagez donc et mon trône et mon nom.
Venez ! vous serez reine, impératrice !

Doña Sol

Non.

C'est un leurre. – Et d'ailleurs, Altesse, avec franchise,
510 S'agit-il pas de vous, s'il faut que je le dise,
J'aime mieux avec lui, mon Hernani, mon roi,
Vivre errante, en dehors du monde et de la loi,
Ayant faim, ayant soif, fuyant toute l'année,
Partageant jour à jour sa pauvre destinée,
515 Abandon, guerre, exil, deuil, misère et terreur,
Que d'être impératrice avec un empereur !

Don Carlos

Que cet homme est heureux !

Doña Sol

Quoi ! pauvre, proscrit même !...

Don Carlos

Qu'il fait bien d'être pauvre et proscrit, puisqu'on l'aime !
– Moi, je suis seul ! – Un ange accompagne ses pas !
520 – Donc vous me haïssez ?

Doña Sol

Je ne vous aime pas.

Don Carlos, *la saisissant avec violence.*

Eh bien ! que vous m'aimiez ou non, cela n'importe !
Vous viendrez, et ma main plus que la vôtre est forte.
Vous viendrez ! je vous veux ! Pardieu, nous verrons bien
Si je suis roi d'Espagne et des Indes pour rien !

Doña Sol, *se débattant.*

525 Seigneur ! oh ! par pitié ! – Quoi ! vous êtes altesse !
Vous êtes roi. Duchesse, ou marquise, ou comtesse,
Vous n'avez qu'à choisir. Les femmes de la cour

Ont toujours un amour tout prêt pour votre amour.
Mais mon proscrit, qu'a-t-il reçu du Ciel avare ?
30 Ah ! vous avez Castille, Aragon et Navarre,
Et Murcie, et Léon, dix royaumes encor !
Et les Flamands, et l'Inde avec les mines d'or !
Vous avez un empire auquel nul roi ne touche,
Si vaste, que jamais le soleil ne s'y couche !
35 Et quand vous avez tout, voudrez-vous, vous, le roi,
Me prendre, pauvre fille, à lui qui n'a que moi ?

Elle se jette à ses genoux. Il cherche à l'entraîner.

DON CARLOS

Viens ! Je n'écoute rien ! Viens ! Si tu m'accompagnes,
Je te donne, choisis, quatre de mes Espagnes !
Dis, lesquelles veux-tu ? Choisis !

Elle se débat dans ses bras.

DOÑA SOL

Pour mon honneur,
40 Je ne veux rien de vous que ce poignard, seigneur !

Elle lui arrache le poignard de sa ceinture. Il la lâche et recule.

Avancez maintenant ! faites un pas !

DON CARLOS

La belle !
Je ne m'étonne plus si l'on aime un rebelle !

Il veut faire un pas. Elle lève le poignard.

DOÑA SOL

Pour un pas, je vous tue et me tue !

Il recule encore. Elle se détourne et crie avec force.

Hernani !

Hernani !

DON CARLOS

Taisez-vous !

DOÑA SOL, *le poignard levé.*
Un pas ! tout est fini.

DON CARLOS

545 Madame ! à cet excès ma douceur est réduite.
J'ai là pour vous forcer trois hommes de ma suite…

HERNANI, *surgissant tout à coup derrière lui.*
Vous en oubliez un !

Le roi se retourne et voit Hernani, immobile derrière lui,
dans l'ombre, les bras croisés sous le long manteau
qui l'enveloppe, et le large bord de son chapeau relevé.
– Doña Sol pousse un cri, court à Hernani et l'entoure
de ses bras.

SCÈNE III

DON CARLOS, DOÑA SOL, HERNANI

HERNANI, *immobile, les bras toujours croisés,*
et ses yeux étincelants fixés sur le roi.
Oh ! le ciel m'est témoin
Que volontiers je l'eusse été chercher plus loin !

DOÑA SOL
Hernani, sauvez-moi de lui !

HERNANI
Soyez tranquille,
550 Mon amour !

DON CARLOS
Que font donc mes amis par la ville ?
Avoir laissé passer ce chef de bohémiens !

Appelant.

Monterey !

HERNANI
Vos amis sont au pouvoir des miens,
Et ne réclamez pas leur épée impuissante ;
Pour trois qui vous viendraient, il m'en viendrait soixante,
555 Soixante dont un seul vous vaut tous quatre. Ainsi
Vidons entre nous deux notre querelle ici.
Quoi ! vous portiez la main sur cette jeune fille !

46

C'était d'un imprudent, seigneur roi de Castille,
Et d'un lâche !

Don Carlos, souriant avec dédain.
Seigneur bandit, de vous à moi

60 Pas de reproche !

Hernani
Il raille ! Oh ! je ne suis pas roi !
Mais quand un roi m'insulte et pour surcroît me raille,
Ma colère va haut et me monte à sa taille,
Et, prenez garde, on craint, quand on me fait affront,
Plus qu'un cimier de roi la rougeur de mon front !
65 Vous êtes insensé si quelque espoir vous leurre.

Il lui saisit le bras.

Savez-vous quelle main vous étreint à cette heure ?
Écoutez : votre père a fait mourir le mien,
Je vous hais. Vous avez pris mon titre et mon bien,
Je vous hais. Nous aimons tous deux la même femme,
70 Je vous hais, je vous hais, – oui, je te hais dans l'âme !

Don Carlos
C'est bien.

Hernani
Ce soir pourtant ma haine était bien loin.
Je n'avais qu'un désir, qu'une ardeur, qu'un besoin,
Doña Sol ! – plein d'amour, j'accourais… Sur mon âme !
Je vous trouve essayant contre elle un rapt infâme !
75 Quoi ! vous que j'oubliais, sur ma route placé !… –
Seigneur, je vous le dis, vous êtes insensé !
Don Carlos, te voilà pris dans ton propre piège !
Ni fuite, ni secours ! je te tiens et t'assiège !
Seul, entouré partout d'ennemis acharnés,
80 Que vas-tu faire ?

Don Carlos, fièrement.
Allons ! vous me questionnez !

Hernani
Va, va, je ne veux pas qu'un bras obscur te frappe.
Il ne sied pas qu'ainsi ma vengeance m'échappe !

Tu ne seras touché par un autre que moi,
Défends-toi donc.

Il tire son épée.

DON CARLOS

Je suis votre seigneur le roi.
585 Frappez, mais pas de duel.

HERNANI

Seigneur, qu'il te souvienne
Qu'hier encor ta dague a rencontré la mienne.

DON CARLOS

Je le pouvais hier. J'ignorais votre nom,
Vous ignoriez mon titre. Aujourd'hui, compagnon,
Vous savez qui je suis et je sais qui vous êtes.

HERNANI

590 Peut-être.

DON CARLOS

Pas de duel. Assassinez-moi. Faites !

HERNANI

Crois-tu donc que les rois à moi me sont sacrés ?
Çà, te défendras-tu ?

DON CARLOS

Vous m'assassinerez.
Ah ! vous croyez, bandits, que vos brigades viles
Pourront impunément s'épandre dans les villes ?

Hernani recule. Don Carlos fixe des yeux d'aigle sur lui.

595 Que teints de sang, chargés de meurtres, malheureux !
Vous pourrez après tout faire les généreux !
Et que nous daignerons, nous, victimes trompées,
Anoblir vos poignards du choc de nos épées !
Non, le crime vous tient. Partout vous le traînez.
600 Nous, des duels avec vous ! arrière ! assassinez.

Hernani, sombre et pensif, tourmente quelques instants
de la main la poignée de son épée, puis se retourne
brusquement vers le roi, et brise la lame sur le pavé.

HERNANI

Va-t'en donc !

Le roi se tourne à demi vers lui et le regarde avec hauteur.

Nous aurons des rencontres meilleures.
Va-t'en.

DON CARLOS

C'est bien, Monsieur. Je vais dans quelques heures
Rentrer, moi votre roi, dans le palais ducal.
Mon premier soin sera de mander le fiscal.
05 A-t-on fait mettre à prix votre tête ?

HERNANI

Oui.

DON CARLOS

Mon maître,
Je vous tiens de ce jour sujet rebelle et traître.
Je vous en avertis, partout, je vous poursuis.
Je vous fais mettre au ban du royaume.

HERNANI

J'y suis

Déjà.

DON CARLOS

Bien.

HERNANI

Mais la France est auprès de l'Espagne.
10 C'est un port.

DON CARLOS

Je vais être empereur d'Allemagne.
Je vous fais mettre au ban de l'empire.

HERNANI

À ton gré,
J'ai le reste du monde où je te braverai.
Il est plus d'un asile où ta puissance tombe.

DON CARLOS

Et quand j'aurai le monde ?

HERNANI

Alors, j'aurai la tombe.

DON CARLOS

615 Je saurai déjouer vos complots insolents.

HERNANI

La vengeance est boiteuse, elle vient à pas lents,
Mais elle vient.

DON CARLOS, *riant à demi, avec dédain.*

Toucher à la dame qu'adore

Ce bandit !

HERNANI, *dont les yeux se rallument.*

Songes-tu que je te tiens encore !

Ne me rappelle pas, futur césar romain,
620 Que je t'ai là, chétif et petit dans ma main,
Et que, si je serrais cette main trop loyale,
J'écraserais dans l'œuf ton aigle impériale !

DON CARLOS

Faites !

HERNANI

Va-t'en ! va-t'en !

Il ôte son manteau et le jette sur les épaules du roi.

Fuis, et prends ce manteau.

Car dans nos rangs pour toi je crains quelque couteau.

Le roi s'enveloppe du manteau.

625 Pars tranquille à présent ! Ma vengeance altérée
Pour tout autre que moi fait ta tête sacrée.

DON CARLOS

Monsieur, vous qui venez de me parler ainsi,
Ne demandez un jour ni grâce ni merci !

Il sort.

HERNANI, DOÑA SOL

DOÑA SOL, *saisissant la main d'Hernani.*
Maintenant ! fuyons vite !

HERNANI, *la repoussant avec une douceur grave.*
Il vous sied, mon amie,
30   D'être dans mon malheur toujours plus raffermie,
De n'y point renoncer, et de vouloir toujours
Jusqu'au fond, jusqu'au bout accompagner mes jours.
C'est un noble dessein, digne d'un cœur fidèle !
Mais, tu le vois, mon Dieu, pour tant accepter d'elle,
35   Pour emporter joyeux dans mon antre avec moi
Ce trésor de beauté qui rend jaloux un roi,
Pour que ma doña Sol me suive et m'appartienne,
Pour lui prendre sa vie et la joindre à la mienne,
Pour l'entraîner sans honte encore et sans regrets,
40   Il n'est plus temps ! je vois l'échafaud de trop près.

DOÑA SOL
Que dites-vous ?

HERNANI
Ce roi que je bravais en face
Va me punir d'avoir osé lui faire grâce.
Il fuit ! Déjà peut-être il est dans son palais.
Il appelle ses gens, ses gardes, ses valets,
45   Ses seigneurs, ses bourreaux...

DOÑA SOL
Hernani ! Dieu ! je tremble !
Eh bien, hâtons-nous donc alors ! Fuyons ensemble !

HERNANI
Ensemble ! Non, non. L'heure en est passée ! Hélas,
Doña Sol, à mes yeux quand tu te révélas,
Bonne, et daignant m'aimer d'un amour secourable,
50   J'ai bien pu vous offrir, moi, pauvre misérable,
Ma montagne, mon bois, mon torrent, – ta pitié
M'enhardissait, – mon pain de proscrit, la moitié

Du lit vert et touffu que la forêt me donne.
Mais t'offrir la moitié de l'échafaud ! pardonne,
655 Doña Sol, l'échafaud, c'est à moi seul !

Doña Sol

Pourtant
Vous me l'aviez promis !

Hernani, *tombant à ses genoux.*

Ange ! ah ! dans cet instant
Où la mort vient peut-être, où s'approche dans l'ombre
Un sombre dénouement pour un destin bien sombre,
Je le déclare ici, proscrit, traînant au flanc
660 Un souci profond, né dans un berceau sanglant,
Si noir que soit le deuil qui s'épand sur ma vie,
Je suis un homme heureux, et je veux qu'on m'envie,
Car vous m'avez aimé ! car vous me l'avez dit !
Car vous avez tout bas béni mon front maudit !

Doña Sol, *penchée sur sa tête.*

665 Hernani !

Hernani

Loué soit le sort doux et propice
Qui me mit cette fleur au bord du précipice !

Il se relève.

Et ce n'est pas pour vous que je parle en ce lieu,
Je parle pour le ciel qui m'écoute et pour Dieu !

Doña Sol

Souffre que je te suive !

Hernani

Oh ! ce serait un crime
670 Que d'arracher la fleur en tombant dans l'abîme !
Va, j'en ai respiré le parfum ! c'est assez !
Renoue à d'autres jours tes jours par moi froissés.
Épouse ce vieillard ! C'est moi qui te délie.
Je rentre dans ma nuit. Toi, sois heureuse, oublie !

Doña Sol

75 Non, je te suis ! Je veux ma part de ton linceul !
Je m'attache à tes pas !

Hernani, *la serrant dans ses bras.*
Oh ! laisse-moi fuir seul !

Il la quitte avec un mouvement convulsif et veut fuir.

Doña Sol, *douloureusement et joignant les mains.*

Hernani ! tu me fuis ! Ainsi donc, insensée,
Avoir donné sa vie, et se voir repoussée,
Et n'avoir, après tant d'amour et tant d'ennui,
80 Pas même le bonheur de mourir près de lui.

Hernani

Je suis banni ! je suis proscrit ! je suis funeste !

Doña Sol

Ah ! vous êtes ingrat !

Hernani, *revenant sur ses pas.*
Eh bien ! non ! non, je reste.

Tu le veux, me voici. Viens, oh ! viens dans mes bras !
Je reste et resterai tant que tu le voudras.
85 Oublions-les ! restons ! –

Il s'assied sur un banc de pierre.

Sieds-toi sur cette pierre !

Il se place à ses pieds.

Des flammes de tes yeux inonde ma paupière.
Chante-moi quelque chant comme parfois le soir
Tu m'en chantais, avec des pleurs dans ton œil noir !
Soyons heureux ! buvons, car la coupe est remplie,
90 Car cette heure est à nous, et le reste est folie !
Parle-moi, ravis-moi ! N'est-ce pas qu'il est doux
D'aimer et de savoir qu'on vous aime à genoux ?
D'être deux ? d'être seuls ? et que c'est douce chose
De se parler d'amour la nuit, quand tout repose ?

695 Oh ! laisse-moi dormir et rêver sur ton sein,
Doña Sol ! mon amour ! ma beauté !...

Bruit de cloches au loin.

DOÑA SOL, *se levant effarée.*

Le tocsin !

Entends-tu le tocsin ?

HERNANI, *toujours à ses genoux.*

Eh non ! c'est notre noce

Qu'on sonne.

*Le bruit des cloches augmente. Cris confus, flambeaux
et lumières à toutes les fenêtres, sur tous les toits, dans
toutes les rues.*

DOÑA SOL

Lève-toi ! fuis ! Grand Dieu ! Saragosse

S'allume !

HERNANI, *se soulevant à demi.*

Nous aurons une noce aux flambeaux !

DOÑA SOL

700 C'est la noce des morts ! la noce des tombeaux !

Bruit d'épées. Cris.

HERNANI, *se recouchant sur le banc de pierre.*

Rendormons-nous !

UN MONTAGNARD, *l'épée à la main, accourant.*

Seigneur ! les sbires, les alcades

Débouchent dans la place en longues cavalcades !
Alerte, monseigneur !

Hernani se lève.

DOÑA SOL, *pâle.*

Ah ! tu l'avais bien dit !

LE MONTAGNARD

Au secours !...

HERNANI, *au montagnard.*

Me voici. C'est bien.

CRIS CONFUS, *au-dehors*.
                    Mort au bandit !

          HERNANI, *au montagnard*.
05 Ton épée…

                                        À doña Sol.

     Adieu donc !

                    DOÑA SOL
               C'est moi qui fais ta perte !
Où vas-tu ?

                              Lui montrant la petite porte.

     Viens, fuyons par cette porte ouverte !

                    HERNANI
Dieu ! laisser mes amis ! que dis-tu ?

                              Tumulte et cris.

                    DOÑA SOL
                         Ces clameurs
Me brisent.

                              Retenant Hernani.

     Souviens-toi que, si tu meurs, je meurs.

          HERNANI, *la tenant embrassée.*
Un baiser !

                    DOÑA SOL
          Mon époux ! mon Hernani ! mon maître !…

          HERNANI, *la baisant sur le front.*
10 Hélas ! c'est le premier !

                    DOÑA SOL
               C'est le dernier peut-être.

                         Il part. Elle tombe sur le banc.

ACTE III

LE VIEILLARD

LE CHÂTEAU DE SILVA

Dans les montagnes d'Aragon

*La galerie des portraits de la famille de Silva ; grande
salle, dont ces portraits, entourés de riches broderies et
surmontés de couronnes ducales et d'écussons dorés,
font la décoration. Au fond, une haute porte gothique.
Entre chaque portrait, une panoplie complète, toutes de
siècles différents.*

SCÈNE PREMIÈRE

Doña Sol, *blanche et debout près d'une table ;*
Don Ruy Gomez de Silva, *assis dans son grand fauteuil ducal
en bois de chêne.*

Don Ruy Gomez

Enfin ! c'est aujourd'hui ! dans une heure on sera
Ma duchesse ! plus d'oncle ! et l'on m'embrassera !
Mais m'as-tu pardonné ? J'avais tort. Je l'avoue.
J'ai fait rougir ton front, j'ai fait pâlir ta joue,
15   J'ai soupçonné trop vite, et je n'aurais point dû
Te condamner ainsi sans avoir entendu.
Que l'apparence a tort ! injustes que nous sommes !
Certe, ils étaient bien là, les deux beaux jeunes hommes !
C'est égal ; je devais n'en pas croire mes yeux.
20   Mais que veux-tu, ma pauvre enfant ! quand on est vieux !

Doña Sol, *immobile et grave.*
Vous reparlez toujours de cela. Qui vous blâme ?

Moi, j'eus tort. Je devais savoir qu'avec ton âme
On n'a point de galants lorsqu'on est doña Sol,
Et qu'on a dans le cœur de bon sang espagnol !

Doña Sol

725 Certe ! il est bon et pur, monseigneur et peut-être
On le verra bientôt.

Don Ruy Gomez, *se levant et allant à elle.*
      Écoute : on n'est pas maître
De soi-même, amoureux comme je suis de toi,
Et vieux. On est jaloux, on est méchant ; pourquoi ?
Parce que l'on est vieux ; parce que beauté, grâce,
730 Jeunesse dans autrui, tout fait peur, tout menace ;
Parce qu'on est jaloux des autres et honteux
De soi. Dérision ! Que cet amour boiteux,
Qui vous remet au cœur tant d'ivresse et de flamme,
Ait oublié le corps en rajeunissant l'âme !
735 – Quand passe un jeune pâtre, – oui, c'en est là ! – souvent,
Tandis que nous allons, lui chantant, moi rêvant,
Lui dans son pré vert, moi dans mes noires allées,
Souvent je dis tout bas : – Ô mes tours crénelées,
Mon vieux donjon ducal, que je vous donnerais,
740 Oh ! que je donnerais mes blés et mes forêts,
Et les vastes troupeaux qui tondent mes collines,
Mon vieux nom, mon vieux titre, et toutes mes ruines,
Et tous mes vieux aïeux, qui bientôt m'attendront,
Pour sa chaumière neuve, et pour son jeune front !
745 Car ses cheveux sont noirs, car son œil reluit comme
Le tien. Tu peux le voir et dire : Ce jeune homme !
Et puis penser à moi qui suis vieux. Je le sais !
Pourtant j'ai nom Silva ; mais ce n'est plus assez !
Oui, je me dis cela. Vois à quel point je t'aime.
750 Le tout, pour être jeune et beau comme toi-même !
Mais à quoi vais-je ici rêver ? Moi, jeune et beau !
Qui te dois de si loin devancer au tombeau !

Doña Sol

Qui sait ?

Don Ruy Gomez

Mais va, crois-moi, ces cavaliers frivoles
N'ont pas d'amour si grand qu'il ne s'use en paroles.
55 Qu'une fille aime et croie un de ces jouvenceaux,
Elle en meurt, il en rit. Tous ces jeunes oiseaux,
À l'aile vive et peinte, au langoureux ramage,
Ont un amour qui mue ainsi que leur plumage.
Les vieux, dont l'âge éteint la voix et les couleurs,
60 Ont l'aile plus fidèle, et, moins beaux, sont meilleurs.
Nous aimons bien. – Nos pas sont lourds ? nos yeux arides ?
Nos fronts ridés ? Au cœur on n'a jamais de rides.
Hélas ! quand un vieillard aime, il faut l'épargner.
Le cœur est toujours jeune et peut toujours saigner.
65 Oh ! mon amour n'est point comme un jouet de verre
Qui brille et tremble ; oh non ! c'est un amour sévère,
Profond, solide, sûr, paternel, amical,
De bois de chêne, ainsi que mon fauteuil ducal !
Voilà comme je t'aime, et puis je t'aime encore
70 De cent autres façons : comme on aime l'aurore,
Comme on aime les fleurs, comme on aime les cieux !
De te voir tous les jours, toi, ton pas gracieux,
Ton front pur, le beau feu de ta fière prunelle,
Je ris, et j'ai dans l'âme une fête éternelle !

Doña Sol

75 Hé' .. !

Don Ruy Gomez

Et puis, vois-tu ? le monde trouve beau,
Lorsqu'un homme s'éteint et, lambeau par lambeau
S'en va, lorsqu'il trébuche au marbre de la tombe,
Qu'une femme, ange pur, innocente colombe,
Veille sur lui, l'abrite et daigne encor souffrir
80 L'inutile vieillard qui n'est bon qu'à mourir !
C'est une œuvre sacrée et qu'à bon droit on loue
Que ce suprême effort d'un cœur qui se dévoue,
Qui console un mourant jusqu'à la fin du jour,
Et, sans aimer peut-être, a des semblants d'amour !
85 Oh ! tu seras pour moi cet ange au cœur de femme
Qui du pauvre vieillard réjouit encor l'âme,

Et de ses derniers ans lui porte la moitié,
Fille par le respect et sœur par la pitié !

DOÑA SOL

Loin de me précéder, vous pourrez bien me suivre,
790 Monseigneur. Ce n'est pas une raison pour vivre
Que d'être jeune. Hélas ! je vous le dis, souvent
Les vieillards sont tardifs, les jeunes vont devant !
Et leurs yeux brusquement referment leur paupière,
Comme un sépulcre ouvert dont retombe la pierre !

DON RUY GOMEZ

795 Oh ! les sombres discours ! Mais je vous gronderai,
Enfant ! un pareil jour est joyeux et sacré.
Comment, à ce propos, quand l'heure nous appelle,
N'êtes-vous pas encor prête pour la chapelle ?
Mais vite ! habillez-vous. Je compte les instants.
800 La parure de noce !

DOÑA SOL
Il sera toujours temps.

DON RUY GOMEZ

Non pas.

Entre un page.

Que veut Iaquez ?

LE PAGE
Monseigneur, à la porte,
Un homme, un pèlerin, un mendiant, n'importe,
Est là qui vous demande asile.

DON RUY GOMEZ
Quel qu'il soit,
Le bonheur entre avec l'étranger qu'on reçoit,
805 Qu'il vienne. – Du dehors a-t-on quelques nouvelles ?
Que dit-on de ce chef de bandits infidèles
Qui remplit nos forêts de sa rébellion ?

LE PAGE

C'en est fait d'Hernani ; c'en est fait du lion
De la montagne.

DOÑA SOL, *à part.*

Dieu !

DON RUY GOMEZ, *au page.*
Quoi ?

LE PAGE

La troupe est détruite.
10 Le roi, dit-on, s'est mis lui-même à leur poursuite.
La tête d'Hernani vaut mille écus du roi
Pour l'instant ; mais on dit qu'il est mort.

DOÑA SOL, *à part.*
Quoi ! sans moi,
Hernani !

DON RUY GOMEZ
Grâce au ciel ! il est mort, le rebelle !
On peut se réjouir maintenant, chère belle.
15 Allez donc vous parer, mon amour, mon orgueil.
Aujourd'hui, double fête !

DOÑA SOL, *à part.*
Oh ! des habits de deuil !

Elle sort.

DON RUY GOMEZ, *au page.*
Fais-lui vite porter l'écrin que je lui donne.

Il se rassied dans son fauteuil.

Je veux la voir parée ainsi qu'une madone,
Et, grâce à ses doux yeux et grâce à mon écrin,
20 Belle à faire à genoux tomber un pèlerin.
À propos, et celui qui nous demande un gîte !
Dis-lui d'entrer, fais-lui nos excuses, cours vite.

Le page salue et sort.

Laisser son hôte attendre ! ah ! c'est mal !

La porte du fond s'ouvre. Paraît Hernani déguisé en pèlerin.
Le duc se lève.

Don Ruy Gomez, Hernani *déguisé en pèlerin*.

Hernani s'arrête sur le seuil de la porte.

HERNANI

Monseigneur,

Paix et bonheur à vous !

Don Ruy Gomez, *le saluant de la main*.

À toi paix et bonheur,

825 Mon hôte !

Hernani entre. Le duc se rassied.

N'es-tu pas pèlerin ?

HERNANI, *s'inclinant*.

Oui.

Don Ruy Gomez

Sans doute

Tu viens d'Armillas ?

HERNANI

Non. J'ai pris une autre route.

On se battait par là.

Don Ruy Gomez

La troupe du banni,

N'est-ce pas ?

HERNANI

Je ne sais.

Don Ruy Gomez

Le chef, le Hernani,

Que devient-il ? sais-tu ?

HERNANI

Seigneur, quel est cet homme ?

Don Ruy Gomez

830 Tu ne le connais pas ? tant pis ! la grosse somme

Ne sera point pour toi. Vois-tu ? ce Hernani,

C'est un rebelle au roi, trop longtemps impuni.
Si tu vas à Madrid, tu le pourras voir pendre.

HERNANI

Je n'y vais pas.

DON RUY GOMEZ
Sa tête est à qui veut la prendre.

HERNANI, à part.

35 Qu'on y vienne !

DON RUY GOMEZ
Où vas-tu, bon pèlerin ?

HERNANI
Seigneur,

Je vais à Saragosse.

DON RUY GOMEZ
Un vœu fait en l'honneur

D'un saint ? de Notre-Dame ?...

HERNANI
Oui, duc, de Notre-Dame.

DON RUY GOMEZ

Del Pilar ?

HERNANI

Del Pilar.

DON RUY GOMEZ
Il faut n'avoir point d'âme

Pour ne point acquitter les vœux qu'on fait aux saints.
40 Mais, le tien accompli, n'as-tu d'autres desseins ?
Voir le Pilier, c'est là tout ce que tu désires ?

HERNANI

Oui, je veux voir brûler les flambeaux et les cires,
Voir Notre-Dame, au fond du sombre corridor,
Luire en sa châsse ardente avec sa chape d'or,
45 Et puis m'en retourner.

DON RUY GOMEZ

Fort bien. – Ton nom, mon frère ?
Je suis Ruy de Silva.

HERNANI, *hésitant.*

Mon nom ?...

DON RUY GOMEZ

Tu peux le taire
Si tu veux. Nul n'a droit de le savoir ici.
Viens-tu pas demander asile ?

HERNANI

Oui, duc.

DON RUY GOMEZ

Merci.
Sois le bienvenu ! – Reste, ami, ne te fais faute
850 De rien. Quant à ton nom, tu te nommes mon hôte.
Qui que tu sois, c'est bien ; et, sans être inquiet,
J'accueillerais Satan, si Dieu me l'envoyait.

> *La porte du fond s'ouvre à deux battants. Entre doña Sol,*
> *en parure de mariée. Derrière elle, pages, valets, et deux*
> *femmes portant sur un coussin de velours un coffret*
> *d'argent ciselé, qu'elles vont déposer sur une table, et qui*
> *renferme un riche écrin, couronne de duchesse,*
> *bracelets, colliers, perles et brillants pêle-mêle. – Hernani,*
> *haletant et effaré, considère doña Sol avec des yeux*
> *ardents sans écouter le duc.*

SCÈNE III

LES MÊMES, DOÑA SOL, PAGES, VALETS, FEMMES

DON RUY GOMEZ, *continuant.*

– Voici ma Notre-Dame à moi. L'avoir priée
Te portera bonheur !

> *Il va présenter la main à doña Sol, toujours pâle et grave.*

Ma belle mariée,
855 Venez ! – Quoi ! pas d'anneau ! pas de couronne encor !

HERNANI, *d'une voix tonnante.*
Qui veut gagner ici mille carolus d'or ?

> *Tous se retournent étonnés. Il déchire sa robe de pèlerin,*
> *la foule aux pieds et en sort en costume de montagnard.*

Je suis Hernani.

DOÑA SOL, *à part, avec joie.*
Ciel ! vivant !

HERNANI, *aux valets.*
Je suis cet homme
Qu'on cherche !

> *Au duc.*

Vous vouliez savoir si je me nomme
Perez ou Diego ? – Non, je me nomme Hernani !
C'est un bien plus beau nom, c'est un nom de banni,
C'est un nom de proscrit ! Vous voyez cette tête ?
Elle vaut assez d'or pour payer votre fête !

> *Aux valets.*

Je vous la donne à tous ! vous serez bien payés !
Prenez ! liez mes mains ! liez mes pieds ! liez !
Mais non, c'est inutile, une chaîne me lie
Que je ne romprai point !

DOÑA SOL, *à part.*
Malheureuse !

DON RUY GOMEZ
Folie !
Çà, mon hôte est un fou !

HERNANI
Votre hôte est un bandit !

DOÑA SOL
Oh ! ne l'écoutez pas !

HERNANI
J'ai dit ce que j'ai dit.

DON RUY GOMEZ

Mille carolus d'or ! Monsieur, la somme est forte,
870 Et je ne suis pas sûr de tous mes gens !

HERNANI

Qu'importe !
Tant mieux, si dans le nombre il s'en trouve un qui veut !

Aux valets.

Livrez-moi ! vendez-moi !

DON RUY GOMEZ, *s'efforçant de le faire taire.*
Taisez-vous donc ! On peut
Vous prendre au mot !

HERNANI

Amis ! l'occasion est belle !
Je vous dis que je suis le proscrit, le rebelle,
875 Hernani !

DON RUY GOMEZ

Taisez-vous !

HERNANI

Hernani !

DOÑA SOL, *d'une voix éteinte, à son oreille.*
Oh ! tais-toi !

HERNANI, *se détournant à demi vers doña Sol.*
On se marie ici ! Je veux en être, moi !
Mon épousée aussi m'attend !

Au duc.

Elle est moins belle
Que la vôtre, seigneur, mais n'est pas moins fidèle.
C'est la mort !

Aux valets.

Nul de vous ne fait un pas encor ?

DOÑA SOL, *bas.*
880 Par pitié !

HERNANI, *aux valets.*
Hernani ! mille carolus d'or !

DON RUY GOMEZ
C'est le démon !

HERNANI, *à un jeune valet.*
Viens, toi, tu gagneras la somme.
Riche alors, de valet tu redeviendras homme !

Aux valets qui restent immobiles.

Vous aussi, vous tremblez ! ai-je assez de malheur !

DON RUY GOMEZ
Frère, à toucher ta tête ils risqueraient la leur !
35 Fusses-tu Hernani, fusses-tu cent fois pire,
Pour ta vie au lieu d'or offrît-on un empire,
Mon hôte ! je te dois protéger en ce lieu
Même contre le roi, car je te tiens de Dieu !
S'il tombe un seul cheveu de ton front, que je meure !

À doña Sol.

90 Ma nièce, vous serez ma femme dans une heure ;
Rentrez chez vous ; je vais faire armer le château,
J'en vais fermer la porte.

Il sort. Les valets le suivent.

HERNANI, *regardant avec désespoir*
sa ceinture dégarnie et désarmée.
Oh ! pas même un couteau !

Doña Sol, après que le duc a disparu, fait quelques pas
comme pour suivre ses femmes, puis s'arrête, et dès
qu'elles sont sorties, revient vers Hernani avec anxiété.

HERNANI, DOÑA SOL

*Hernani considère avec un regard froid et comme
inattentif l'écrin nuptial placé sur la table ; puis il hoche
la tête, et ses yeux s'allument.*

HERNANI

Je vous fais compliment ! – Plus que je ne puis dire
La parure me charme, et m'enchante, – et j'admire !

Il s'approche de l'écrin.

895 La bague est de bon goût, – la couronne me plaît, –
Le collier est d'un beau travail, – le bracelet
Est rare, – mais cent fois, cent fois moins que la femme
Qui sous un front si pur cache ce cœur infâme !

Examinant de nouveau le coffret.

Et qu'avez-vous donné pour tout cela ? – Fort bien !
900 Un peu de votre amour ? mais vraiment, c'est pour rien !
Grand Dieu ! trahir ainsi ! n'avoir pas honte, et vivre !

Examinant l'écrin.

– Mais peut-être après tout c'est perle fausse, et cuivre
Au lieu d'or, verre et plomb, diamants déloyaux,
Faux saphirs, faux bijoux, faux brillants, faux joyaux.
905 Ah ! s'il en est ainsi, comme cette parure,
Ton cœur est faux, duchesse, et tu n'es que dorure !

Il revient au coffret.

– Mais non, non. Tout est vrai, tout est bon, tout est beau.
Il n'oserait tromper, lui qui touche au tombeau !
Rien n'y manque.

Il prend l'une après l'autre toutes les pièces de l'écrin.

Collier, brillants, pendants d'oreille,
910 Couronne de duchesse, anneau d'or..., à merveille !
Grand merci de l'amour sûr, fidèle et profond !
Le précieux écrin !

Doña Sol

Elle va au coffret, y fouille, et en tire un poignard.

Vous n'allez pas au fond.
– C'est le poignard qu'avec l'aide de ma patronne
Je pris au roi Carlos, lorsqu'il m'offrit un trône,
Et que je refusai pour vous qui m'outragez !

Hernani, *tombant à ses pieds.*

Oh ! laisse qu'à genoux dans tes yeux affligés
J'efface tous ces pleurs amers et pleins de charmes !
Et tu prendras après tout mon sang pour tes larmes !

Doña Sol, *attendrie.*

Hernani ! je vous aime et vous pardonne, et n'ai
Que de l'amour pour vous.

Hernani

Elle m'a pardonné,
Et m'aime ! Qui pourra faire aussi que moi-même,
Après ce que j'ai dit, je me pardonne et m'aime ?
Oh ! je voudrais savoir, ange au ciel réservé,
Où vous avez marché, pour baiser le pavé !

Doña Sol

Ami !

Hernani

Non ! je dois t'être odieux ! Mais, écoute,
Dis-moi : Je t'aime ! – Hélas ! rassure un cœur qui doute,
Dis-le-moi ! car souvent avec ce peu de mots
La bouche d'une femme a guéri bien des maux !

Doña Sol, *absorbée et sans l'entendre.*

Croire que mon amour eût si peu de mémoire !
Que jamais ils pourraient, tous ces hommes sans gloire,
Jusqu'à d'autres amours, plus nobles à leur gré,
Rapetisser un cœur où son nom est entré !

Hernani

Hélas ! j'ai blasphémé ! Si j'étais à ta place,
Doña Sol, j'en aurais assez, je serais lasse

935 De ce fou furieux, de ce sombre insensé
Qui ne sait caresser qu'après qu'il a blessé.
Je lui dirais : Va-t'en ! – Repousse-moi, repousse !
Et je te bénirai, car tu fus bonne et douce,
Car tu m'as supporté trop longtemps, car je suis
940 Mauvais, je noircirais tes jours avec mes nuits !
Car c'en est trop enfin, ton âme est belle et haute
Et pure, et si je suis méchant, est-ce ta faute ?
Épouse le vieux duc ! il est bon, noble, il a
Par sa mère Olmedo, par son père Alcala.
945 Encore un coup, sois riche avec lui, sois heureuse !
Moi, sais-tu ce que peut cette main généreuse
T'offrir de magnifique ? une dot de douleurs.
Tu pourras y choisir ou du sang ou des pleurs.
L'exil, les fers, la mort, l'effroi qui m'environne,
950 C'est là ton collier d'or, c'est ta belle couronne,
Et jamais à l'épouse un époux plein d'orgueil
N'offrit plus riche écrin de misère et de deuil !
Épouse le vieillard, te dis-je ! il te mérite !
Eh ! qui jamais croira que ma tête proscrite
955 Aille avec ton front pur ? qui, nous voyant tous deux,
Toi, calme et belle, moi, violent, hasardeux,
Toi, paisible et croissant comme une fleur à l'ombre,
Moi, heurté dans l'orage à des écueils sans nombre,
Qui dira que nos sorts suivent la même loi ?
960 Non. Dieu qui fait tout bien ne te fit pas pour moi.
Je n'ai nul droit d'en haut sur toi, je me résigne !
J'ai ton cœur, c'est un vol ! je le rends au plus digne.
Jamais à nos amours le ciel n'a consenti.
Si j'ai dit que c'était ton destin, j'ai menti !
965 D'ailleurs, vengeance, amour, adieu ! mon jour s'achève.
Je m'en vais, inutile, avec mon double rêve,
Honteux de n'avoir pu ni punir, ni charmer,
Qu'on m'ait fait pour haïr, moi qui n'ai su qu'aimer !
Pardonne-moi ! fuis-moi ! ce sont mes deux prières.
970 Ne les rejette pas, car ce sont les dernières !
Tu vis, et je suis mort. Je ne vois pas pourquoi
Tu te ferais murer dans ma tombe avec moi !

DOÑA SOL

Ingrat !

HERNANI

Monts d'Aragon ! Galice ! Estramadoure !
– Oh ! je porte malheur à tout ce qui m'entoure ! –
J'ai pris vos meilleurs fils ; pour mes droits, sans remords
Je les ai fait combattre, et voilà qu'ils sont morts !
C'étaient les plus vaillants de la vaillante Espagne !
Ils sont morts ! ils sont tous tombés dans la montagne,
Tous sur le dos couchés, en braves, devant Dieu,
Et si leurs yeux s'ouvraient, ils verraient le ciel bleu !
Voilà ce que je fais de tout ce qui m'épouse !
Est-ce une destinée à te rendre jalouse ?
Doña Sol, prends le duc, prends l'enfer, prends le roi !
C'est bien. Tout ce qui n'est pas moi vaut mieux que moi !
Je n'ai plus un ami qui de moi se souvienne,
Tout me quitte, il est temps qu'à la fin ton tour vienne,
Car je dois être seul. Fuis ma contagion.
Ne te fais pas d'aimer une religion !
Oh ! par pitié pour toi, fuis ! – Tu me crois peut-être
Un homme comme sont tous les autres, un être
Intelligent, qui court droit au but qu'il rêva.
Détrompe-toi. Je suis une force qui va !
Agent aveugle et sourd de mystères funèbres !
Une âme de malheur faite avec des ténèbres !
Où vais-je ? je ne sais. Mais je me sens poussé
D'un souffle impétueux, d'un destin insensé.
Je descends, je descends, et jamais ne m'arrête.
Si parfois, haletant, j'ose tourner la tête,
Une voix me dit : Marche ! et l'abîme est profond,
Et de flamme ou de sang je le vois rouge au fond !
Cependant, à l'entour de ma course farouche,
Tout se brise, tout meurt. Malheur à qui me touche !
Oh ! fuis ! détourne-toi de mon chemin fatal.
Hélas ! sans le vouloir, je te ferais du mal !

DOÑA SOL

Grand Dieu !

HERNANI

C'est un démon redoutable, te dis-je,
Que le mien. Mon bonheur, voilà le seul prodige
Qui lui soit impossible. Et toi, c'est le bonheur !
Tu n'es donc pas pour moi, cherche un autre seigneur !
Va, si jamais le ciel à mon sort qu'il renie
1010   Souriait… n'y crois pas ! ce serait ironie.
Épouse le duc !

DOÑA SOL

Donc ce n'était pas assez !
Vous aviez déchiré mon cœur, vous le brisez.
Ah ! vous ne m'aimez plus !

HERNANI

Oh ! mon cœur et mon âme,
C'est toi ! l'ardent foyer d'où me vient toute flamme,
1015   C'est toi ! Ne m'en veux pas de fuir, être adoré !

DOÑA SOL

Je ne vous en veux pas. Seulement, j'en mourrai.

HERNANI

Mourir ! pour qui ? pour moi ? se peut-il que tu meures
Pour si peu ?

DOÑA SOL, *laissant éclater ses larmes.*
Voilà tout.

Elle tombe sur un fauteuil.

HERNANI, *s'asseyant près d'elle.*
Oh ! tu pleures ! tu pleures !
Et c'est encor ma faute ! Et qui me punira ?
1020   Car tu pardonneras encor ! Qui te dira
Ce que je souffre au moins, lorsqu'une larme noie
La flamme de tes yeux dont l'éclair est ma joie ?
Oh ! mes amis sont morts ! oh ! je suis insensé !
Pardonne. Je voudrais aimer, je ne le sai !
1025   Hélas ! j'aime pourtant d'une amour bien profonde ! –
Ne pleure pas, mourons plutôt ! – Que n'ai-je un monde ?
Je te le donnerais ! Je suis bien malheureux !

DoÑa Sol, *se jetant à son cou.*
Vous êtes mon lion superbe et généreux !
Je vous aime.

HERNANI

Oh ! l'amour serait un bien suprême
30 Si l'on pouvait mourir de trop aimer !

DoÑa Sol

Je t'aime !
Monseigneur ! Je vous aime et je suis toute à vous.

HERNANI, *laissant tomber sa tête sur son épaule.*
Oh ! qu'un coup de poignard de toi me serait doux !

DoÑa Sol, *suppliante.*
Ah ! ne craignez-vous pas que Dieu ne vous punisse
De parler de la sorte ?

HERNANI, *toujours appuyé sur son sein.*
Eh bien ! qu'il nous unisse !
35 Tu le veux. Qu'il en soit ainsi ! – J'ai résisté.

Tous deux, dans les bras l'un de l'autre, se regardent avec
extase, sans voir, sans entendre, et comme absorbés dans
leur regard. – Entre don Ruy Gomez par la porte du fond.
Il regarde, et s'arrête comme pétrifié sur le seuil.

SCÈNE V

HERNANI, DoÑa Sol, Don Ruy Gomez, *puis* un page

Don Ruy Gomez, *immobile et croisant les bras*
sur le seuil de la porte.
Voilà donc le paiement de l'hospitalité !

DoÑa Sol
Dieu ! le duc !

Tous deux se retournent, comme réveillés en sursaut.

Don Ruy Gomez, *toujours immobile.*
C'est donc là mon salaire, mon hôte ?

– Bon seigneur, va-t'en voir si ta muraille est haute,
Si la porte est bien close et l'archer dans sa tour,
1040 De ton château pour nous fais et refais le tour,
Cherche en ton arsenal une armure à ta taille,
Ressaie à soixante ans ton harnais de bataille,
Voici la loyauté dont nous paierons ta foi !
Tu fais cela pour nous, et nous ceci pour toi !
1045 Saints du ciel ! – J'ai vécu plus de soixante années,
J'ai rencontré parfois des âmes effrénées,
J'ai souvent, en tirant ma dague du fourreau,
Fait lever sur mes pas des gibiers de bourreau ;
J'ai vu des assassins, des monnayeurs, des traîtres ;
1050 De faux valets, à table empoisonnant leurs maîtres ;
J'en ai vu qui mouraient sans croix et sans pater ;
J'ai vu Sforce, j'ai vu Borgia, je vois Luther ;
Mais je n'ai jamais vu perversité si haute
Qui n'eût craint le tonnerre en trahissant son hôte !
1055 Ce n'est pas de mon temps. – Si noire trahison
Pétrifie un vieillard au seuil de sa maison,
Et fait que le vieux maître, en attendant qu'il tombe,
A l'air d'une statue à mettre sur sa tombe !
Maures et Castillans ! quel est cet homme-ci ?

*Il lève les yeux et les promène sur les
portraits qui entourent la salle.*

1060 Ô vous ! tous les Silva, qui m'écoutez ici,
Pardon, si devant vous, pardon, si ma colère
Dit l'hospitalité mauvaise conseillère !

HERNANI, *se levant.*

Duc...

DON RUY GOMEZ

Tais-toi ! –

*Il fait lentement trois pas dans la salle et promène
ses regards sur les portraits des Silva.*

Morts sacrés ! aïeux ! hommes de fer !
Qui voyez ce qui vient du ciel et de l'enfer,
1065 Dites-moi, messeigneurs, dites ! quel est cet homme ?

Ce n'est pas Hernani, c'est Judas qu'on le nomme !
Oh ! tâchez de parler pour me dire son nom !

Croisant les bras.

Avez-vous de vos jours vu rien de pareil ? Non !

HERNANI

Seigneur duc...

DON RUY GOMEZ, *toujours aux portraits.*
Voyez-vous ? il veut parler, l'infâme !

70 Mais, mieux encor que moi, vous lisez dans son âme.
Oh ! ne l'écoutez pas ! c'est un fourbe ! il prévoit
Que mon bras va sans doute ensanglanter mon toit,
Que peut-être mon cœur couve dans ses tempêtes
Quelque vengeance, sœur du festin des Sept Têtes.
75 Il vous dira qu'il est proscrit, il vous dira
Qu'on va dire Silva comme l'on dit Lara,
Et puis qu'il est mon hôte, et puis qu'il est votre hôte...
– Mes aïeux, messeigneurs, voyez, est-ce ma faute ?
Jugez entre nous deux !

HERNANI

Ruy Gomez de Silva,

80 Si jamais vers le ciel noble front s'éleva,
Si jamais cœur fut grand, si jamais âme haute,
C'est la vôtre, seigneur ! c'est la tienne, ô mon hôte !
Moi qui te parle ici, je suis coupable, et n'ai
Rien à dire, sinon que je suis bien damné.
85 Oui, j'ai voulu te prendre et t'enlever ta femme ;
Oui, j'ai voulu souiller ton lit ; oui, c'est infâme !
J'ai du sang : tu feras très bien de le verser,
D'essuyer ton épée et de n'y plus penser !

DOÑA SOL

Seigneur, ce n'est pas lui ! ne frappez que moi-même !

HERNANI

90 Taisez-vous, doña Sol. Car cette heure est suprême !
Cette heure m'appartient. Je n'ai plus qu'elle. Ainsi
Laissez-moi m'expliquer avec le duc ici.

Duc ! – crois aux derniers mots de ma bouche, j'en jure,
Je suis coupable, mais sois tranquille, – elle est pure !
1095 C'est là tout. Moi coupable, elle pure ; ta foi
Pour elle, – un coup d'épée ou de poignard pour moi.
Voilà. – Puis fais jeter le cadavre à la porte
Et laver le plancher, si tu veux, il n'importe !

DOÑA SOL

Ah ! moi seule ai tout fait. Car je l'aime.

> *Don Ruy se détourne à ce mot en tressaillant, et fixe sur
> doña Sol un regard terrible. Elle se jette à ses genoux.*

Oui, pardon !

1100 Je l'aime, monseigneur !

DON RUY GOMEZ
Vous l'aimez !

À Hernani.
Tremble donc !

> *Bruit de trompettes au-dehors.*
> *– Entre le page. Au page.*

Qu'est ce bruit ?

LE PAGE

C'est le roi, monseigneur, en personne,
Avec un gros d'archers et son héraut qui sonne.

DOÑA SOL

Dieu ! le roi ! dernier coup !

LE PAGE, *au duc.*
Il demande pourquoi

La porte est close, et veut qu'on ouvre.

DON RUY GOMEZ
Ouvrez au roi.

Le page s'incline et sort.

DOÑA SOL

1105 Il est perdu.

Don Ruy Gomez va à l'un des tableaux, qui est son propre portrait et le dernier à gauche ; il presse un ressort, le portrait s'ouvre comme une porte, et laisse voir une cachette pratiquée dans le mur. Il se tourne vers Hernani.

DON RUY GOMEZ

Monsieur, venez ici.

HERNANI

Ma tête

Est à toi. Livre-la, seigneur. Je la tiens prête.
Je suis ton prisonnier.

Il entre dans la cachette. Don Ruy presse de nouveau le ressort, tout se referme, et le portrait revient à sa place.

DOÑA SOL, *au duc.*

Seigneur, pitié pour lui !

LE PAGE, *entrant.*

Son Altesse le roi !

Doña Sol baisse précipitamment son voile – La porte s'ouvre à deux battants. Entre don Carlos en habit de guerre, suivi d'une foule de gentilshommes également armés, de pertuisaniers, d'arquebusiers, d'arbalétriers.

SCÈNE VI

DON RUY GOMEZ, DOÑA SOL, *voilée*, DON CARLOS, SUITE

Don Carlos s'avance à pas lents, la main gauche sur le pommeau de son épée, la droite dans sa poitrine, et fixe sur le vieux duc un œil de défiance et de colère. Le duc va au-devant du roi et le salue profondément. – Silence. – Attente et terreur alentour. Enfin, le roi, arrivé en face du duc, lève brusquement la tête.

DON CARLOS

D'où vient donc aujourd'hui,
Mon cousin, que ta porte est si bien verrouillée ?
Par les saints ! je croyais ta dague plus rouillée !

Et je ne savais pas qu'elle eût hâte à ce point,
Quand nous te venons voir, de reluire à ton poing !

*Don Ruy Gomez veut parler, le roi poursuit
avec un geste impérieux.*

C'est s'y prendre un peu tard pour faire le jeune homme !
Avons-nous des turbans ? serait-ce qu'on me nomme
1115 Boabdil ou Mahom, et non Carlos, répond !
Pour nous baisser la herse et nous lever le pont ?

DON RUY GOMEZ, s'inclinant.

Seigneur...

DON CARLOS, à ses gentilshommes.
Prenez les clefs, saisissez-vous des portes !

Deux officiers sortent. Plusieurs autres rangent les soldats
en triple haie dans la salle, du roi à la grande porte.
Don Carlos se retourne vers le duc.

Ah ! vous réveillez donc les rébellions mortes !
Pardieu, si vous prenez de ces airs avec moi,
1120 Messieurs les ducs, le roi prendra des airs de roi !
Et j'irai par les monts, de mes mains aguerries,
Dans leurs nids crénelés tuer les seigneuries !

DON RUY GOMEZ, se redressant.

Altesse, les Silva sont loyaux...

DON CARLOS, l'interrompant.
Sans détours,

Réponds, duc ! ou je fais raser tes onze tours !
1125 De l'incendie éteint il reste une étincelle,
Des bandits morts il reste un chef. Qui le recèle ?
C'est toi ! Ce Hernani, rebelle empoisonneur,
Ici, dans ton château, tu le caches !

DON RUY GOMEZ
Seigneur,

C'est vrai.

DON CARLOS
Fort bien. Je veux sa tête – ou bien la tienne,
1130 Entends-tu, mon cousin ?

DON RUY GOMEZ, *s'inclinant.*
                    Mais qu'à cela ne tienne !...
Vous serez satisfait.

Doña Sol cache sa tête dans ses mains et tombe sur le fauteuil.

            DON CARLOS, *radouci.*
            Ah ! tu t'amendes ! – Va
Chercher mon prisonnier.

> *Le duc croise les bras, baisse la tête et reste quelques*
> *moments rêveur. Le roi et doña Sol l'observent en silence*
> *et agités d'émotions contraires. Enfin le duc relève son*
> *front, va au roi, lui prend la main, et le mène à pas lents*
> *devant le plus ancien des portraits, celui qui commence*
> *la galerie à droite du spectateur.*

    DON RUY GOMEZ, *montrant au roi le vieux portrait.*
            Celui-ci, des Silva
C'est l'aîné, c'est l'aïeul, l'ancêtre, le grand homme !
Don Silvius, qui fut trois fois consul de Rome.

                        Passant au portrait suivant.

35 Voici don Galceran de Silva, l'autre Cid !
On lui garde à Toro, près de Valladolid,
Une châsse dorée où brûlent mille cierges.
Il affranchit Léon du tribut des cent vierges !

                        Passant à un autre.

– Don Blas, – qui, de lui-même et dans sa bonne foi,
40 S'exila pour avoir mal conseillé le roi.

                        À un autre.

– Christoval ! – Au combat d'Escalona, don Sanche,
Le roi, fuyait à pied, et sur sa plume blanche
Tous les coups s'acharnaient ; il cria : Christoval !
Christoval prit la plume et donna son cheval.

                        À un autre.

45 – Don Jorge, – qui paya la rançon de Ramire,

Roi d'Aragon.

DON CARLOS, *croisant les bras et le regardant de la tête aux pieds.*
                Pardieu ! don Ruy, je vous admire !
Continuez !

                DON RUY GOMEZ, *passant à un autre.*
                Voici Ruy Gomez de Silva,
Grand maître de Saint-Jacque et de Calatrava.
Son armure géante irait mal à nos tailles ;
1150 Il prit trois cents drapeaux, gagna trente batailles,
Conquit au roi Motril, Antequera, Suez,
Nijar, et mourut pauvre. – Altesse, saluez !

                Il s'incline, se découvre et passe à un autre. – Le roi l'écoute
                        avec une impatience et une colère toujours croissantes.

Près de lui, Gil, son fils, cher aux âmes loyales.
Sa main pour un serment valait les mains royales.

                                                À un autre.

1155 – Don Gaspar, de Mendoce et de Silva l'honneur !
Toute noble maison tient à Silva, seigneur.
Sandoval tour à tour nous craint ou nous épouse.
Manrique nous envie et Lara nous jalouse.
Alencastre nous hait. Nous touchons à la fois
1160 Du pied à tous les ducs, du front à tous les rois !

                        DON CARLOS
Vous raillez-vous ?...

                DON RUY GOMEZ, *allant à d'autres portraits.*
                        Voilà don Vasquez, dit le Sage ;
Don Jayme, dit le Fort. Un jour, sur son passage,
Il arrêta Zamet et cent Maures tout seul. –
J'en passe, et des meilleurs. –

                Sur un geste de colère du roi, il passe un grand nombre
                        de tableaux, et vient tout de suite aux trois derniers
                                portraits à gauche du spectateur.

                        Voici mon noble aïeul.
1165 Il vécut soixante ans, gardant la foi jurée,
Même aux juifs. –

À l'avant-dernier.

Ce vieillard, cette tête sacrée,
C'est mon père. Il fut grand, quoiqu'il vînt le dernier.
Les Maures de Grenade avaient fait prisonnier
Le comte Alvar Giron, son ami. Mais mon père
70 Prit pour l'aller chercher six cents hommes de guerre ;
Il fit tailler en pierre un comte Alvar Giron
Qu'à sa suite il traîna, jurant par son patron
De ne point reculer que le comte de pierre
Ne tournât front lui-même et n'allât en arrière.
75 Il combattit, puis vint au comte et le sauva.

DON CARLOS

Mon prisonnier !

DON RUY GOMEZ
C'était un Gomez de Silva !

Voilà donc ce qu'on dit quand dans cette demeure
On voit tous ces héros.

DON CARLOS
Mon prisonnier sur l'heure !

DON RUY GOMEZ

*Il s'incline profondément devant le roi, lui prend la main
et le mène devant le dernier portrait, celui qui sert de
porte à la cachette où il a fait entrer Hernani. Doña Sol
le suit des yeux avec anxiété. – Attente et silence dans
l'assistance.*

Ce portrait, c'est le mien. – Roi don Carlos, merci ! –
80 Car vous voulez qu'on dise en le voyant ici :
« Ce dernier, digne fils d'une race si haute
Fut un traître et vendit la tête de son hôte ! »

*Joie de doña Sol. Mouvement de stupeur dans les assis-
tants. – Le roi, déconcerté, s'éloigne avec colère, puis
reste quelques instants silencieux, les lèvres tremblantes
et l'œil enflammé.*

DON CARLOS

Duc, ton château me gêne et je le mettrai bas !

DON RUY GOMEZ

Car vous me la paieriez, Altesse, n'est-ce pas ?

DON CARLOS

1185 Duc, j'en ferai raser les tours pour tant d'audace
Et je ferai semer du chanvre sur la place !

DON RUY GOMEZ

Mieux voir croître du chanvre où ma tour s'éleva
Qu'une tache ronger le vieux nom de Silva.

Aux portraits.

N'est-il pas vrai, vous tous ?

DON CARLOS

Duc, cette tête est nôtre,

1190 Et tu m'avais promis...

DON RUY GOMEZ

J'ai promis l'une ou l'autre.

Aux portraits.

N'est-il pas vrai, vous tous ?

Montrant sa tête.

Je donne celle-ci.

Au roi.

Prenez-la.

DON CARLOS

Duc, fort bien. Mais j'y perds, grand merci !
La tête qu'il me faut est jeune, il faut que morte
On la prenne aux cheveux. La tienne ? que m'importe !
1195 Le bourreau la prendrait par les cheveux en vain.
Tu n'en as pas assez pour lui remplir la main !

DON RUY GOMEZ

Altesse, pas d'affront ! Ma tête encore est belle,
Et vaut bien, que je crois, la tête d'un rebelle.
La tête d'un Silva, vous êtes dégoûté !

DON CARLOS

Livre-nous Hernani !

DON RUY GOMEZ
Seigneur, en vérité,
J'ai dit.

DON CARLOS, *à sa suite.*
Fouillez partout ! et qu'il ne soit point d'aile,
De cave, ni de tour...

DON RUY GOMEZ
Mon donjon est fidèle
Comme moi. Seul il sait le secret avec moi.
Nous le garderons bien tous deux !

DON CARLOS
Je suis le roi !

DON RUY GOMEZ
Hors que de mon château, démoli pierre à pierre,
On ne fasse ma tombe, on n'aura rien.

DON CARLOS
Prière,
Menace, tout est vain ! – Livre-moi le bandit,
Duc, ou, tête et château, j'abattrai tout !

DON RUY GOMEZ
J'ai dit.

DON CARLOS
Eh bien donc ! au lieu d'une alors j'aurai deux têtes.

Au duc d'Alcala.

Jorge ! arrêtez le duc !

DOÑA SOL, *arrachant son voile
et se jetant entre le roi, le duc et les gardes.*
Roi don Carlos, vous êtes
Un mauvais roi !

DON CARLOS

Grand Dieu ! que vois-je ? Doña Sol !

DOÑA SOL

Altesse, tu n'as pas le cœur d'un Espagnol !

DON CARLOS, *troublé.*

Madame, pour le roi vous êtes bien sévère.

Il s'approche de doña Sol. Bas.

C'est vous qui m'avez mis au cœur cette colère !
1215   Un homme devient ange ou monstre en vous touchant.
Ah ! quand on est haï, que vite on est méchant !
Si vous aviez voulu, peut-être, ô jeune fille,
J'étais grand, j'eusse été le lion de Castille ;
Vous m'en faites le tigre avec votre courroux.
1220   Le voilà qui rugit, Madame, taisez-vous !

Doña Sol lui jette un regard. Il s'incline.

Pourtant, j'obéirai.

Se tournant vers le duc.

Mon cousin, je t'estime.
Ton scrupule après tout peut sembler légitime.
Sois fidèle à ton hôte, infidèle à ton roi,
C'est bien. – Je te fais grâce et suis meilleur que toi.
1225   J'emmène seulement ta nièce comme otage.

DON RUY GOMEZ

Seulement !

DOÑA SOL, *interdite.*

Moi, seigneur !

DON CARLOS

Oui, vous !

DON RUY GOMEZ

Pas davantage !

Oh ! la grande clémence ! ô généreux vainqueur
Qui ménage la tête et torture le cœur !
Belle grâce !

DON CARLOS

Choisis. – Doña Sol ou le traître.

Il me faut l'un des deux.

DON RUY GOMEZ

Oh ! vous êtes le maître !

Don Carlos s'approche de doña Sol pour l'emmener.
Elle se réfugie vers don Ruy Gomez.

DOÑA SOL

Sauvez-moi, monseigneur !...

Elle s'arrête. – À part.

Malheureuse ! il le faut !
La tête de mon oncle ou l'autre !... – Moi plutôt !

Au roi.

Je vous suis !

DON CARLOS, *à part.*

Par les saints, l'idée est triomphante !
Il faudra bien enfin s'adoucir, mon infante !

Doña Sol va d'un pas grave et assuré au coffret qui ren-
ferme l'écrin, l'ouvre et y prend le poignard, qu'elle
cache dans son sein. Don Carlos vient à elle et lui pré-
sente la main.

DON CARLOS, *à doña Sol.*

Qu'emportez-vous là ?

DOÑA SOL

Rien.

DON CARLOS

Un joyau précieux ?

DOÑA SOL

Oui.

DON CARLOS, *souriant.*

Voyons.

DOÑA SOL

Vous verrez.

Elle lui donne la main et se dispose à le suivre. – Don Ruy Gomez, qui est resté immobile et profondément absorbé dans sa pensée, se retourne et fait quelques pas en criant.

DON RUY GOMEZ

Doña Sol ! terre et cieux !
Doña Sol ! – Puisque l'homme ici n'a point d'entrailles,
À mon aide, croulez, armures et murailles !

Il court au roi.

Laisse-moi mon enfant ! je n'ai qu'elle, ô mon roi !

DON CARLOS, *lâchant la main de doña Sol.*

1240 Alors, mon prisonnier !

Le duc baisse la tête et semble en proie à une horrible hésitation ; puis il se relève et regarde les portraits en joignant les mains vers eux.

DON RUY GOMEZ

Ayez pitié de moi,
Vous tous ! –

Il fait un pas vers la cachette : doña Sol le suit des yeux avec anxiété. Il se retourne vers les portraits.

Oh ! voilez-vous ! votre regard m'arrête !

Il s'avance en chancelant jusqu'à son portrait, puis se retourne encore vers le roi.

Tu le veux ?

DON CARLOS

Oui.

Le duc lève en tremblant la main vers le ressort.

DOÑA SOL

Dieu !

DON RUY GOMEZ

Non !

Il se jette aux genoux du roi.

Par pitié, prends ma tête !

Don Carlos

Ta nièce !

Don Ruy Gomez, *se relevant.*
Prends-la donc ! et laisse-moi l'honneur !

Don Carlos, *saisissant la main de doña Sol tremblante.*
Adieu, duc.

Don Ruy Gomez
Au revoir. –

Il suit de l'œil le roi, qui se retire lentement avec doña Sol,
puis il met la main sur son poignard.

Dieu vous garde, seigneur !

Il revient sur le devant du théâtre, haletant, immobile, sans plus rien
voir ni entendre, l'œil fixe, les bras croisés sur sa poitrine, qui les sou-
lève comme par des mouvements convulsifs. Cependant, le roi sort
avec doña Sol, et toute la suite de seigneurs sort après lui, deux à deux,
gravement et chacun à son rang. Ils se parlent à voix basse entre eux.

Don Ruy Gomez, *à part.*
Roi, pendant que tu sors joyeux de ma demeure,
Ma vieille loyauté sort de mon cœur qui pleure !

Il lève les yeux, les promène autour de lui, et voit qu'il
est seul. Il court à la muraille, détache deux épées
d'une panoplie, les mesure toutes deux, puis les
dépose sur une table. Cela fait, il va au portrait,
pousse le ressort, la porte cachée se rouvre.

SCÈNE VII

Don Ruy Gomez, Hernani

Don Ruy Gomez

Sors.

Hernani paraît à la porte de la cachette.
Don Ruy lui montre les deux épées sur la table.

Choisis. – Don Carlos est hors de la maison.
Il s'agit maintenant de me rendre raison.
Choisis ! et faisons vite. – Allons donc ! ta main tremble !

HERNANI

1250 Un duel ! nous ne pouvons, vieillard, combattre ensemble !

DON RUY GOMEZ

Pourquoi donc ? As-tu peur ? n'es-tu point noble ? enfer !
Noble ou non ! pour croiser le fer avec le fer,
Tout homme qui m'outrage est assez gentilhomme !

HERNANI

Vieillard...

DON RUY GOMEZ

Viens me tuer ou viens mourir, jeune homme !

HERNANI

1255 Mourir, oui. – Vous m'avez sauvé malgré mes vœux.
Donc ma vie est à vous. Reprenez-la.

DON RUY GOMEZ

Tu veux ?

Aux portraits.

Vous voyez qu'il le veut.

À Hernani.

C'est bon. Fais ta prière.

HERNANI

Oh ! c'est à toi, seigneur, que je fais la dernière !

DON RUY GOMEZ

Parle à l'autre Seigneur !

HERNANI

Non, non, à toi ! – Vieillard,
1260 Frappe-moi. Tout m'est bon, dague, épée ou poignard !
Mais fais-moi, par pitié, cette suprême joie !
Duc ! avant de mourir, permets que je la voie !

DON RUY GOMEZ

La voir !

HERNANI

Au moins permets que j'entende sa voix
Une dernière fois ! rien qu'une seule fois !

DON RUY GOMEZ

55   L'entendre !

HERNANI

Oh ! je comprends, seigneur, ta jalousie.
Mais déjà par la mort ma jeunesse est saisie,
Pardonne-moi. Veux-tu, dis-moi, que, sans la voir,
S'il le faut, je l'entende ? Et je mourrai ce soir.
L'entendre seulement ! Contente mon envie !
70   Mais, oh ! qu'avec douceur j'exhalerais ma vie
Si tu daignais vouloir qu'avant de fuir aux cieux
Mon âme allât revoir la sienne dans ses yeux !
– Je ne lui dirai rien, tu seras là, mon père !
Tu me prendras après !

DON RUY GOMEZ, *montrant la cachette encore ouverte.*

Saints du ciel ! ce repaire
75   Est-il donc si profond, si sourd et si perdu,
Qu'il n'ait entendu rien ?

HERNANI

Je n'ai rien entendu.

DON RUY GOMEZ

Il a fallu livrer doña Sol ou toi-même.

HERNANI

À qui, livrée ?

DON RUY GOMEZ

Au roi.

HERNANI

Vieillard stupide ! il l'aime !

DON RUY GOMEZ

Il l'aime !

HERNANI

Il nous l'enlève ! il est notre rival !

Don Ruy Gomez

1280 Ô malédiction ! – Mes vassaux ! à cheval !
À cheval ! poursuivons le ravisseur !

Hernani

Écoute,
La vengeance au pied sûr fait moins de bruit en route.
Je t'appartiens. Tu peux me tuer. Mais veux-tu
M'employer à venger ta nièce et sa vertu ?
1285 Ma part dans ta vengeance ! oh ! fais-moi cette grâce !
Et s'il faut embrasser tes pieds, je les embrasse !
Suivons le roi tous deux. Viens ; je serai ton bras,
Je te vengerai, duc. – Après, tu me tueras.

Don Ruy Gomez

Alors, comme aujourd'hui, te laisseras-tu faire ?

Hernani

1290 Oui, duc.

Don Ruy Gomez

Qu'en jures-tu ?

Hernani

La tête de mon père.

Don Ruy Gomez

Voudras-tu de toi-même un jour t'en souvenir ?

Hernani, *lui présentant le cor qu'il ôte de sa ceinture.*

Écoute, prends ce cor. Quoi qu'il puisse advenir,
Quand tu voudras, seigneur, quel que soit le lieu, l'heure,
S'il te passe à l'esprit qu'il est temps que je meure,
1295 Viens, sonne de ce cor, et ne prends d'autres soins ;
Tout sera fait.

Don Ruy Gomez, *lui tendant la main.*

Ta main ?

Ils se serrent la main. – Aux portraits.

Vous tous, soyez témoins.

ACTE IV

LE TOMBEAU

AIX-LA-CHAPELLE

*Les caveaux qui renferment le tombeau de Charlemagne,
à Aix-la-Chapelle. De grand s voûtes d'architecture lombarde.
Gros piliers bas, p eins cintres, chapiteaux
d'oiseaux et de fleurs. – À droite, le tombea de Charlemagne
avec une petite porte de bronze, bas et cintrée.
Une seule lampe suspendue à une clef de voûte en éclaire
l'inscription : KAROLUS MAGNUS. – Il est nuit. On ne voit pas
le fond du souterrain ; l'œil se perd dans les arcades, les
escaliers et les piliers qui s'entrecroisent dans l'ombre.*

SCÈNE PREMIÈRE

DON CARLOS, DON RICARDO DE ROXAS, *comte de Casapalma,
une lanterne à la main. Grands manteaux, chapeaux rabattus.*

DON RICARDO, *son chapeau à la main.*

C'est ici.

DON CARLOS

C'est ici que la ligue s'assemble !
Que je vais dans ma main les tenir tous ensemble !
– Ha ! monsieur l'électeur de Trèves, c'est ici !
00 Vous leur prêtez ce lieu ! Certe, il est bien choisi !
Un noir complot prospère à l'air des catacombes.
Il est bon d'aiguiser les stylets sur des tombes.
Pourtant c'est jouer gros. La tête est de l'enjeu,
Messieurs les assassins ! et nous verrons. – Pardieu !
05 Ils font bien de choisir pour une telle affaire
Un sépulcre ; – ils auront moins de chemin à faire.

À don Ricardo.

Ces caveaux sous le sol s'étendent-ils bien loin ?

DON RICARDO

Jusques au château fort.

DON CARLOS

C'est plus qu'il n'est besoin.

DON RICARDO

D'autres, de ce côté, vont jusqu'au monastère
1310 D'Altenheim...

DON CARLOS

Où Rodolphe extermina Lothaire.
Bien. – Une fois encor, comte, redites-moi
Les noms et les griefs, où, comment et pourquoi.

DON RICARDO

Gotha.

DON CARLOS

Je sais pourquoi le brave duc conspire.
Il veut un Allemand d'Allemagne à l'Empire.

DON RICARDO

1315 Hohenbourg.

DON CARLOS

Hohenbourg aimerait mieux, je croi,
L'enfer avec François que le ciel avec moi.

DON RICARDO

Don Gil Tellez Giron.

DON CARLOS

Castille et Notre-Dame !
Il se révolte donc contre son roi, l'infâme !

DON RICARDO

On dit qu'il vous trouva chez madame Giron
1320 Un soir que vous veniez de le faire baron.
Il veut venger l'honneur de sa tendre compagne.

DON CARLOS

C'est donc qu'il se révolte alors contre l'Espagne.
Qui nomme-t-on encore ?

DON RICARDO

On cite avec ceux-là
Le révérend Vasquez, évêque d'Avila.

DON CARLOS

25 Est-ce aussi pour venger la vertu de sa femme ?

DON RICARDO

Puis Guzman de Lara, mécontent, qui réclame
Le collier de votre ordre.

DON CARLOS

Ah ! Guzman de Lara !
Si ce n'est qu'un collier qu'il lui faut, il l'aura.

DON RICARDO

Le duc de Lutzelbourg. Quant aux plans qu'on lui prête…

DON CARLOS

30 Le duc de Lutzelbourg est trop grand de la tête.

DON RICARDO

Juan de Haro, qui veut Astorga.

DON CARLOS

Ces Haro
Ont toujours fait doubler la solde du bourreau.

DON RICARDO

C'est tout.

DON CARLOS

Ce ne sont pas toutes mes têtes. Comte,
Cela ne fait que sept et je n'ai pas mon compte.

DON RICARDO

35 Ah ! je ne nomme pas quelques bandits gagés
Par Trève ou par la France…

DON CARLOS

                Hommes sans préjugés
Dont le poignard, toujours prêt à jouer son rôle,
Tourne aux plus gros écus, comme l'aiguille au pôle !

DON RICARDO

Pourtant j'ai distingué deux hardis compagnons,
1340 Tous deux nouveaux venus, un jeune, un vieux…

DON CARLOS

                        Leurs noms ?

Don Ricardo lève les épaules en signe d'ignorance.

Leur âge ?

DON RICARDO

      Le plus jeune a vingt ans.

DON CARLOS

               C'est dommage.

DON RICARDO

Le vieux, soixante au moins.

DON CARLOS

              L'un n'a pas encor l'âge
Et l'autre ne l'a plus. Tant pis. J'en prendrai soin.
Le bourreau peut compter sur mon aide au besoin.
1345 Ah ! loin que mon épée aux factions soit douce,
Je la lui prêterai si sa hache s'émousse,
Comte ! et pour l'élargir, je coudrai, s'il le faut,
Ma pourpre impériale au drap de l'échafaud.
– Mais serai-je empereur seulement ? –

DON RICARDO

                  Le collège,
1350 À cette heure assemblé, délibère.

DON CARLOS

               Que sais-je ?
Ils nommeront François Premier, ou leur Saxon,
Leur Frédéric le Sage !… Oh ! Luther a raison,
Tout va mal ! – Beaux faiseurs de majestés sacrées !

N'acceptant pour raisons que les raisons dorées !
Un Saxon hérétique ! un comte palatin
Imbécile ! un primat de Trèves libertin !
Quant au roi de Bohême, il est pour moi. – Des princes
De Hesse, plus petits encor que leurs provinces !
De jeunes idiots ! des vieillards débauchés !
Des couronnes, fort bien ! mais des têtes ?... cherchez !
Des nains ! que je pourrais, concile ridicule,
Dans ma peau de lion emporter comme Hercule !
Et qui, démaillotés du manteau violet,
Auraient la tête encor de moins que Triboulet !
– Il me manque trois voix, Ricardo ! tout me manque ! –
Oh ! je donnerais Gand, Tolède et Salamanque,
Mon ami Ricardo, trois villes à leur choix,
Pour trois voix, s'ils voulaient ! Vois-tu, pour ces trois voix,
Oui, trois de mes cités de Castille ou de Flandre,
Je les donnerais ! – sauf, plus tard, à les reprendre !

> *Don Ricardo salue profondément le roi,*
> *et met son chapeau sur sa tête.*

– Vous vous couvrez ?

DON RICARDO
Seigneur, vous m'avez tutoyé,

> *Saluant de nouveau.*

Me voilà grand d'Espagne.

DON CARLOS, à part.
Ah ! tu me fais pitié !

Ambitieux de rien ! – Engeance intéressée !
Comme à travers la nôtre ils suivent leur pensée !
Basse-cour où le roi, mendié sans pudeur,
À tous ces affamés émiette la grandeur !

> *Rêvant.*

Dieu seul et l'empereur sont grands ! – et le Saint-Père !
Le reste !... rois et ducs ! qu'est cela ?

Don Ricardo

Moi, j'espère

Qu'ils prendront Votre Altesse.

Don Carlos, *à part.*

Altesse ! Altesse, moi !

1380 J'ai du malheur en tout. – S'il fallait rester roi !

Don Ricardo, *à part.*

Baste ! empereur ou non, me voilà grand d'Espagne.

Don Carlos

Sitôt qu'ils auront fait l'empereur d'Allemagne,
Quel signal à la ville annoncera son nom ?

Don Ricardo

Si c'est le duc de Saxe, un seul coup de canon.
1385 Deux si c'est le Français, trois si c'est Votre Altesse.

Don Carlos

Et cette doña Sol !... Tout m'irrite et me blesse !
Comte, si je suis fait empereur, par hasard,
Cours la chercher. – Peut-être on voudra d'un César !...

Don Ricardo, *souriant.*

Votre Altesse est bien bonne !

Don Carlos, *l'interrompant avec hauteur.*

Ha ! là-dessus, silence !

1390 Je n'ai point dit encor ce que je veux qu'on pense.
Quand saura-t-on le nom de l'élu ?

Don Ricardo

Mais, je crois,

Dans une heure, au plus tard.

Don Carlos

Oh ! trois voix ! rien que trois !

– Mais écrasons d'abord ce ramas qui conspire,
Et nous verrons après à qui sera l'empire.

Il compte sur ses doigts et frappe du pied.

1395 Toujours trois voix de moins ! – Ah ! ce sont eux qui l'ont !
– Ce Corneille Agrippa pourtant en sait bien long !

Dans l'océan céleste il a vu treize étoiles
Vers la mienne, du nord, venir à pleines voiles.
  – J'aurai l'empire ! allons. – Mais d'autre part on dit
Que l'abbé Jean Tritème à François l'a prédit.
  – J'aurais dû, pour mieux voir ma fortune éclaircie,
Avec quelque armement aider la prophétie !
Toutes prédictions du sorcier le plus fin
Viennent bien mieux à terme et font meilleure fin
Quand une bonne armée, avec canons et piques,
Gens de pied, de cheval, fanfares et musiques,
Prête à montrer la route au sort qui veut broncher,
Leur sert de sage-femme et les fait accoucher.
Lequel vaut mieux, Corneille Agrippa ? Jean Tritème ?
Celui dont une armée explique le système,
Qui met un fer de lance au bout de ce qu'il dit,
Et compte maint soudard, lansquenet ou bandit
Dont l'estoc, refaisant la fortune imparfaite,
Taille l'événement au plaisir du prophète.
  – Pauvres fous ! qui, l'œil fier, le front haut, visent droit
À l'empire du monde et disent : J'ai mon droit !
Ils ont force canons, rangés en longues files,
Dont le souffle embrasé ferait fondre des villes ;
Ils ont vaisseaux, soldats, chevaux, et vous croyez
Qu'ils vont marcher au but sur les peuples broyés…
Baste ! au grand carrefour de la fortune humaine
Qui mieux encor qu'au trône à l'abîme nous mène,
À peine ils font trois pas, qu'indécis, incertains,
Tâchant en vain de lire au livre des destins,
Ils hésitent, peu sûrs d'eux-mêmes, et dans le doute
Au nécroman du coin vont demander leur route !

À don Ricardo.

  – Va-t'en. C'est l'heure où vont venir les conjurés.
Ah ! la clef du tombeau !

DON RICARDO, *remettant une clef au roi.*
                    Seigneur, vous songerez
Au comte de Limbourg, gardien capitulaire,
Qui me l'a confiée et fait tout pour vous plaire.

Don Carlos, *le congédiant.*

Fais tout ce que j'ai dit ! tout !

Don Ricardo, *s'inclinant.*

J'y vais de ce pas,

Altesse !

Don Carlos

Il faut trois coups de canon, n'est-ce pas ?

Don Ricardo s'incline et sort.
Don Carlos, resté seul, tombe dans une profonde rêverie.
Ses bras se croisent, sa tête fléchit sur sa poitrine ; puis
il la relève et se tourne vers le tombeau.

SCÈNE II

Don Carlos, *seul*

Charlemagne, pardon ! – Ces voûtes solitaires
Ne devraient répéter que paroles austères ;
1435 Tu t'indignes sans doute à ce bourdonnement
Que nos ambitions font sur ton monument.
– Charlemagne est ici ! – Comment, sépulcre sombre,
Peux-tu sans éclater contenir si grande ombre ?
Es-tu bien là, géant d'un monde créateur,
1440 Et t'y peux-tu coucher de toute ta hauteur ? –
Ah ! c'est un beau spectacle à ravir la pensée
Que l'Europe ainsi faite et comme il l'a laissée !
Un édifice, avec deux hommes au sommet,
Deux chefs élus auxquels tout roi né se soumet.
1445 Presque tous les États, duchés, fiefs militaires,
Royaumes, marquisats, tous sont héréditaires ;
Mais le peuple a parfois son pape ou son césar,
Tout marche, et le hasard corrige le hasard.
De là vient l'équilibre, et toujours l'ordre éclate.
1450 Électeurs de drap d'or, cardinaux d'écarlate,
Double sénat sacré dont la terre s'émeut,
Ne sont là qu'en parade, et Dieu veut ce qu'il veut.
Qu'une idée, au besoin des temps, un jour éclose,

Elle grandit, va, court, se mêle à toute chose,
Se fait homme, saisit les cœurs, creuse un sillon ;
Maint roi la foule aux pieds ou lui met un bâillon ;
Mais qu'elle entre un matin à la diète, au conclave,
Et tous les rois soudain verront l'idée esclave
Sur leurs têtes de rois que ses pieds courberont
Surgir, le globe en main ou la tiare au front.
Le pape et l'empereur sont tout. Rien n'est sur terre
Que pour eux et par eux. Un suprême mystère
Vit en eux ; et le ciel, dont ils ont tous les droits,
Leur fait un grand festin des peuples et des rois,
Et les tient sous sa nue, où son tonnerre gronde,
Seuls, assis à la table où Dieu leur sert le monde,
Tête à tête ils sont là, réglant et retranchant,
Arrangeant l'univers comme un faucheur son champ.
Tout se passe entre eux deux. Les rois sont à la porte,
Respirant la vapeur des mets que l'on apporte,
Regardant à la vitre, attentifs, ennuyés,
Et se haussant pour voir sur la pointe des pieds.
Le monde au-dessous d'eux s'échelonne et se groupe.
Ils font et défont. L'un délie et l'autre coupe.
L'un est la vérité, l'autre est la force. Ils ont
Leur raison en eux-mêmes, et sont parce qu'ils sont.
Quand ils sortent, tous deux égaux, du sanctuaire,
L'un dans sa pourpre, et l'autre avec son blanc suaire,
L'univers ébloui contemple avec terreur
Ces deux moitiés de Dieu, le pape et l'empereur.
– L'empereur ! l'empereur ! être empereur ! – Ô rage,
Ne pas l'être ! – et sentir son cœur plein de courage !
Qu'il fut heureux celui qui dort dans ce tombeau !
Qu'il fut grand ! – De son temps c'était encor plus beau.
Le pape et l'empereur ! ce n'était plus deux hommes.
Pierre et César ! en eux accouplant les deux Romes,
Fécondant l'une et l'autre en un mystique hymen,
Redonnant une forme, une âme au genre humain,
Faisant refondre en bloc peuples et pêle-mêle
Royaumes, pour en faire une Europe nouvelle,
Et tous deux remettant au moule de leur main
Le bronze qui restait du vieux monde romain !

Oh ! quel destin ! – Pourtant cette tombe est la sienne !
Tout est-il donc si peu que ce soit là qu'on vienne ?
1495   Quoi donc ! avoir été prince, empereur et roi !
Avoir été l'épée ! avoir été la loi !
Géant, pour piédestal avoir eu l'Allemagne !
Quoi ! pour titre César et pour nom Charlemagne !
Avoir été plus grand qu'Annibal, qu'Attila,
1500   Aussi grand que le monde !... – et que tout tienne là !
Ha ! briguez donc l'empire, et voyez la poussière
Que fait un empereur ! couvrez la terre entière
De bruit et de tumulte. Élevez, bâtissez
Votre empire, et jamais ne dites : C'est assez !
1505   Taillez à larges pans un édifice immense !
Savez-vous ce qu'un jour il en reste ? – ô démence !
Cette pierre ! – et du titre et du nom triomphants ? –
Quelques lettres, à faire épeler des enfants !
Si haut que soit le but où votre orgueil aspire,
1510   Voilà le dernier terme !... Oh ! l'empire ! l'empire !
Que m'importe ! j'y touche, et le trouve à mon gré.
Quelque chose me dit : Tu l'auras ! – Je l'aurai. –
Si je l'avais !... – Ô ciel ! être ce qui commence !
Seul, debout, au plus haut de la spirale immense !
1515   D'une foule d'États l'un sur l'autre étagés
Être la clef de voûte, et voir sous soi rangés
Les rois, et sur leur tête essuyer ses sandales ;
Voir au-dessous des rois les maisons féodales,
Margraves, cardinaux, doges, ducs à fleurons ;
1520   Puis évêques, abbés, chefs de clans, hauts barons ;
Puis clercs et soldats ; puis, loin du faîte où nous sommes,
Dans l'ombre, tout au fond de l'abîme, – les hommes.
– Les hommes ! – c'est-à-dire une foule, une mer,
Un grand bruit ; pleurs et cris, parfois un rire amer,
1525   Plainte qui, réveillant la terre qui s'effare,
À travers tant d'échos, nous arrive fanfare !
Les hommes ! – des cités, des tours, un vaste essaim, –
De hauts clochers d'église à sonner le tocsin ! –

Rêvant.

Base de nations portant sur leurs épaules
La pyramide énorme appuyée aux deux pôles,
Flots vivants, qui toujours l'étreignant de leurs plis,
La balancent, branlante, à leur vaste roulis,
Font tout changer de place et, sur ses hautes zones,
Comme des escabeaux font chanceler les trônes,
Si bien que tous les rois, cessant leurs vains débats,
Lèvent les yeux au ciel... – Rois ! regardez en bas !
– Ah ! le peuple ! – océan ! – onde sans cesse émue !
Où l'on ne jette rien sans que tout ne remue !
Vague qui broie un trône et qui berce un tombeau !
Miroir où rarement un roi se voit en beau !
Ah ! si l'on regardait parfois dans ce flot sombre,
On y verrait au fond des empires sans nombre,
Grands vaisseaux naufragés, que son flux et reflux
Roule, et qui le gênaient, et qu'il ne connaît plus !
– Gouverner tout cela ! – Monter, si l'on vous nomme,
À ce faîte ! – Y monter, sachant qu'on n'est qu'un homme !
– Avoir l'abîme là !... – Pourvu qu'en ce moment
Il n'aille pas me prendre un éblouissement !
Oh ! d'États et de rois mouvante pyramide,
Ton faîte est bien étroit ! – Malheur au pied timide !
À qui me retiendrai-je ?... – Oh ! si j'allais faillir
En sentant sous mes pieds le monde tressaillir !
En sentant vivre, sourdre et palpiter la terre !
– Puis, quand j'aurai ce globe entre mes mains, qu'en faire ?
Le pourrai-je porter seulement ? Qu'ai-je en moi ?
Être empereur ! mon Dieu ! j'avais trop d'être roi !
Certe, il n'est qu'un mortel de race peu commune
Dont puisse s'élargir l'âme avec la fortune.
Mais moi ! qui me fera grand ? qui sera ma loi ?
Qui me conseillera ?... –

Il tombe à deux genoux devant le tombeau.

Charlemagne ! c'est toi !
Oh ! puisque Dieu, pour qui tout obstacle s'efface,
Prend nos deux majestés et les met face à face,
Verse-moi dans le cœur, du fond de ce tombeau,
Quelque chose de grand, de sublime et de beau !

1565 Oh ! par tous ses côtés fais-moi voir toute chose !
Montre-moi que le monde est petit, car je n'ose
Y toucher. Montre-moi que sur cette Babel
Qui du pâtre à César va montant jusqu'au ciel,
Chacun en son degré se complaît et s'admire,
1570 Voit l'autre par-dessous et se retient d'en rire.
Apprends-moi tes secrets de vaincre et de régner,
Et dis-moi qu'il vaut mieux punir que pardonner !
– N'est-ce pas ? – S'il est vrai qu'en son lit solitaire
Parfois une grande ombre, au bruit que fait la terre,
1575 S'éveille, et que soudain son tombeau large et clair
S'entrouvre, et dans la nuit jette au monde un éclair ;
Si cette chose est vraie, empereur d'Allemagne,
Oh ! dis-moi ce qu'on peut faire après Charlemagne !
Parle ! dût en parlant ton souffle souverain
1580 Me briser sur le front cette porte d'airain !
Ou plutôt, laisse-moi seul dans ton sanctuaire
Entrer ; laisse-moi voir ta face mortuaire ;
Ne me repousse pas d'un souffle d'aquilons ;
Sur ton chevet de pierre accoude-toi. Parlons.
1585 Oui, dusses-tu me dire, avec ta voix fatale,
De ces choses qui font l'œil sombre et le front pâle,
Parle, et n'aveugle pas ton fils épouvanté,
Car ta tombe sans doute est pleine de clarté !
Ou, si tu ne dis rien, laisse en ta paix profonde
1590 Carlos étudier ta tête comme un monde ;
Laisse, qu'il te mesure à loisir, ô géant ;
Car rien n'est ici-bas si grand que ton néant !
Que la cendre, à défaut de l'ombre, me conseille !

Il approche la clef de la serrure.

Entrons !

Il recule.

Dieu ! S'il allait me parler à l'oreille !
1595 S'il était là, debout et marchant à pas lents !
Si j'allais ressortir avec des cheveux blancs !
Entrons toujours ! –

Bruit de pas.

On vient ! – Qui donc ose à cette heure,
Hors moi, d'un pareil mort éveiller la demeure ?
Qui donc ?

Le bruit s'approche.

Ah ! j'oubliais ! ce sont mes assassins !
Entrons !

> *Il ouvre la porte du tombeau qu'il referme sur lui.
> – Entrent plusieurs hommes marchant à pas sourds,
> cachés sous leurs manteaux et leurs chapeaux.*

SCÈNE III

LES CONJURÉS

> *Ils vont les uns aux autres en se prenant la main
> et en échangeant quelques paroles à voix basse.*

PREMIER CONJURÉ, *portant seul une torche allumée.*
Ad augusta.

DEUXIÈME CONJURÉ
Per angusta[1].

PREMIER CONJURÉ
Les saints
Nous protègent.

TROISIÈME CONJURÉ
Les morts nous servent.

PREMIER CONJURÉ
Dieu nous garde.

Bruit de pas dans l'ombre.

DEUXIÈME CONJURÉ
Qui vive ?

---

1. « À des routes élevées par des voies étroites ».

VOIX DANS L'OMBRE

Ad augusta.

DEUXIÈME CONJURÉ
Per angusta.

Entrent de nouveaux conjurés. – Bruit de pas.

PREMIER CONJURÉ, *au troisième.*
Regarde.
Il vient encor quelqu'un.

TROISIÈME CONJURÉ
Qui vive ?

VOIX DANS L'OMBRE
Ad augusta.

TROISIÈME CONJURÉ
Per angusta.

*Entrent de nouveaux conjurés, qui échangent des signes
de mains avec tous les autres.*

PREMIER CONJURÉ
C'est bien. Nous voilà tous. – Gotha,
1605 Fais le rapport. – Amis, l'ombre attend la lumière.

*Tous les conjurés s'asseyent en demi-cercle sur des tom-
beaux. Le premier conjuré passe tour à tour devant tous,
et chacun allume à sa torche une cire qu'il tient à la main.
Puis le premier conjuré va s'asseoir en silence sur une
tombe, au centre du cercle et plus haute que les autres.*

LE DUC DE GOTHA, *se levant.*
Amis, Charles d'Espagne, étranger par sa mère,
Prétend au saint-empire.

PREMIER CONJURÉ
Il aura le tombeau.

LE DUC DE GOTHA
Il jette sa torche à terre et l'écrase du pied.
Qu'il en soit de son front comme de ce flambeau !

TOUS

Que ce soit !

PREMIER CONJURÉ
Mort à lui !

LE DUC DE GOTHA
Qu'il meure !

TOUS
Qu'on l'immole !

DON JUAN DE HARO
Son père est allemand.

LE DUC DE LUTZELBOURG
Sa mère est espagnole.

LE DUC DE GOTHA
Il n'est plus espagnol et n'est pas allemand.
Mort !

UN CONJURÉ
Si les électeurs allaient en ce moment
Le nommer empereur ?

PREMIER CONJURÉ
Eux ! lui ! jamais !

DON GIL TELLEZ GIRON
Qu'importe !
Amis ! frappons la tête et la couronne est morte !

PREMIER CONJURÉ
S'il a le saint-empire, il devient, quel qu'il soit,
Très auguste, et Dieu seul peut le toucher du doigt !

LE DUC DE GOTHA
Le plus sûr, c'est qu'avant d'être auguste, il expire !

PREMIER CONJURÉ
On ne l'élira point !

TOUS
Il n'aura pas l'empire !

PREMIER CONJURÉ

Combien faut-il de bras pour le mettre au linceul ?

TOUS

1620 Un seul.

PREMIER CONJURÉ

Combien faut-il de coups au cœur ?

TOUS

Un seul.

PREMIER CONJURÉ

Qui frappera ?

TOUS

Nous tous !

PREMIER CONJURÉ

La victime est un traître.
Ils font un empereur. Nous, faisons un grand prêtre.
Tirons au sort.

> *Tous les conjurés écrivent leur nom sur leurs tablettes,*
> *déchirent la feuille, la roulent, et vont l'un après l'autre*
> *la jeter dans l'urne d'un tombeau. – Puis le premier*
> *conjuré dit :*

– Prions.

> *Tous s'agenouillent. Le premier conjuré se relève et dit :*

Que l'élu croie en Dieu,
Frappe comme un Romain, meure comme un Hébreu !
1625 Il faut qu'il brave roue et tenailles mordantes,
Qu'il chante aux chevalets, rie aux lampes ardentes,
Enfin que, pour tuer et mourir résigné,
Il fasse tout !

> *Il tire un des parchemins de l'urne.*

TOUS

Quel nom ?

PREMIER CONJURÉ, *à haute voix.*
Hernani.

HERNANI, *sortant de la foule des conjurés.*

J'ai gagné !

Je te tiens, toi que j'ai si longtemps poursuivie,
30 Vengeance !

DON RUY GOMEZ, *perçant la foule et prenant Hernani à part.*

Oh ! cède-moi ce coup !

HERNANI

Non, sur ma vie !

Oh ! ne m'enviez pas ma fortune, seigneur !
C'est la première fois qu'il m'arrive bonheur !

DON RUY GOMEZ

Tu n'as rien. Eh bien, tout, fiefs, châteaux, vasselages,
Cent mille paysans dans mes trois cents villages,
35 Pour ce coup à frapper, je te les donne, ami !

HERNANI

Non !

LE DUC DE GOTHA

Ton bras porterait un coup moins affermi,
Vieillard !

DON RUY GOMEZ

Arrière ! vous ! sinon le bras, j'ai l'âme.
Aux rouilles du fourreau ne jugez point la lame.

À Hernani.

– Tu m'appartiens !

HERNANI

Ma vie à vous, la sienne à moi.

DON RUY GOMEZ, *tirant le cor de sa ceinture.*
40 Elle ! je te la cède, et te rends ce cor.

HERNANI, *ébranlé.*

Quoi ?

La vie et doña Sol ! – Non ! je tiens ma vengeance !
Avec Dieu dans ceci je suis d'intelligence.
J'ai mon père à venger !... peut-être plus encor !

DON RUY GOMEZ

Elle ! je te la donne, et je te rends ce cor !

HERNANI

1645   Non !

DON RUY GOMEZ

Réfléchis, enfant !

HERNANI

Duc ! laisse-moi ma proie !

DON RUY GOMEZ

Eh bien ! maudit sois-tu de m'ôter cette joie !

Il remet le cor à sa ceinture.

PREMIER CONJURÉ, *à Hernani.*

Frère ! avant qu'on ait pu l'élire, il serait bien
D'attendre dès ce soir Carlos...

HERNANI

Ne craignez rien !
Je sais comment on pousse un homme dans la tombe.

PREMIER CONJURÉ

1650   Que toute trahison sur le traître retombe,
Et Dieu soit avec vous ! – Nous, comtes et barons,
S'il périt sans tuer, continuons ! – Jurons
De frapper tour à tour et sans nous y soustraire
Carlos qui doit mourir.

TOUS, *tirant leurs épées.*
Jurons !

LE DUC DE GOTHA, *au premier conjuré.*
Sur quoi, mon frère ?

DON RUY GOMEZ, *retourne son épée, la prend par la pointe
et l'élève au-dessus de sa tête.*

1655   Jurons sur cette croix !

TOUS, *élevant leurs épées.*
Qu'il meure impénitent !

*On entend un coup de canon éloigné. Tous s'arrêtent en
silence. – La porte du tombeau s'entrouvre. Don Carlos
paraît sur le seuil, pâle ; il écoute. – Un second coup.
– Un troisième coup. – Il ouvre tout à fait la porte du tombeau,
mais sans faire un pas, debout et immobile sur le seuil.*

SCÈNE IV

Les conjurés, Don Carlos, *puis* Don Ricardo, seigneurs, gardes,
Le Roi de Bohême, Le duc de Bavière, *puis* Doña Sol

Don Carlos

Messieurs, allez plus loin ! l'empereur vous entend.

*Tous les flambeaux s'éteignent à la fois. – Profond silence.
– Il fait un pas dans les ténèbres si épaisses qu'on y
distingue à peine les conjurés muets et immobiles.*

Silence et nuit ! l'essaim en sort et s'y replonge !
Croyez-vous que ceci va passer comme un songe,
Et que je vous prendrai, n'ayant plus vos flambeaux,
Pour des hommes de pierre assis sur leurs tombeaux ?
Vous parliez tout à l'heure assez haut, mes statues !
Allons ! relevez donc vos têtes abattues,
Car voici Charles Quint ! Frappez ! faites un pas !
Voyons : oserez-vous ? – Non, vous n'oserez pas !
– Vos torches flamboyaient sanglantes sous ces voûtes.
Mon souffle a donc suffi pour les éteindre toutes !
Mais voyez, et tournez vos yeux irrésolus,
Si j'en éteins beaucoup, j'en allume encor plus !

*Il frappe de la clef de fer sur la porte de bronze du tombeau.
À ce bruit, toutes les profondeurs du souterrain se remplissent
de soldats portant des torches et des pertuisanes. À leur tête,
le duc d'Alcala, le marquis d'Almuñan, etc.*

– Accourez, mes faucons ! j'ai le nid, j'ai la proie !

Aux conjurés.

– J'illumine à mon tour. Le sépulcre flamboie !
Regardez !

Aux soldats.

Venez tous ! car le crime est flagrant !

HERNANI, *regardant les soldats.*
À la bonne heure ! seul, il me semblait trop grand.
C'est bien. – J'ai cru d'abord que c'était Charlemagne,
Ce n'est que Charles Quint !

DON CARLOS, *au duc d'Alcala.*
Connétable d'Espagne !

Au marquis d'Almuñan.

1675 Amiral de Castille, ici ! – Désarmez-les.

On entoure les conjurés et on les désarme.

DON RICARDO, *accourant et s'inclinant jusqu'à terre.*
Majesté !...

DON CARLOS
Je te fais alcade du palais.

DON RICARDO, *s'inclinant de nouveau.*
Deux électeurs, au nom de la chambre dorée,
Viennent complimenter la Majesté sacrée !

DON CARLOS
Qu'ils entrent.

Bas à Ricardo.

Doña Sol !

*Ricardo salue et sort. – Entrent, avec flambeaux et
fanfares, le roi de Bohême et le duc de Bavière, tout en drap
d'or, couronnes en tête. Nombreux cortège de seigneurs
allemands, portant la bannière de l'empire, l'aigle à deux
têtes, avec l'écusson d'Espagne au milieu. – Les soldats
s'écartent, se rangent en haie, et font passage aux deux
électeurs, jusqu'à l'empereur qu'ils saluent profondément,
et qui leur rend leur salut en soulevant son chapeau.*

LE DUC DE BAVIÈRE
Charles ! roi des Romains,

Majesté très sacrée, empereur ! dans vos mains
Le monde est maintenant, car vous avez l'empire.
Il est à vous, ce trône où tout monarque aspire !
Frédéric, duc de Saxe, y fut d'abord élu,
Mais, vous jugeant plus digne, il n'en a pas voulu.
Venez donc recevoir la couronne et le globe.
Le Saint-Empire, ô roi, vous revêt de la robe.
Il vous arme du glaive, et vous êtes très grand.

Don Carlos

J'irai remercier le collège en rentrant.
Allez, messieurs. – Merci, mon frère de Bohême,
Mon cousin de Bavière, allez ! – J'irai moi-même.

Le Roi de Bohême

Charles ! du nom d'amis nos aïeux se nommaient.
Mon père aimait ton père, et leurs pères s'aimaient.
Charles, si jeune en butte aux fortunes contraires,
Dis, veux-tu que je sois ton frère entre tes frères ?
Je t'ai vu tout enfant, et ne puis oublier...

Don Carlos, l'interrompant.

Roi de Bohême ! eh bien ! vous êtes familier !

Il lui présente sa main à baiser, ainsi qu'au duc de Bavière,
puis congédie les deux électeurs, qui le saluent profondément.

Allez !

Sortent les deux électeurs avec leur cortège.

La Foule

Vivat !

Don Carlos, à part.

J'y suis ! – et tout m'a fait passage !
Empereur ! – au refus de Frédéric le Sage !

Entre doña Sol, conduite par don Ricardo.

Doña Sol

Des soldats ! l'empereur ! ô ciel ! coup imprévu !
Hernani !

HERNANI

Doña Sol !

DON RUY GOMEZ, *à côté d'Hernani, à part.*
Elle ne m'a point vu !

Doña Sol court à Hernani. Il la fait reculer d'un regard de défiance.

HERNANI

Madame !...

DOÑA SOL, *tirant le poignard de son sein.*
J'ai toujours son poignard !

HERNANI, *lui tendant les bras.*

Mon amie !

DON CARLOS

Silence tous ! –

Aux conjurés.

Votre âme est-elle raffermie ?
Il convient que je donne au monde une leçon.
Lara le Castillan et Gotha le Saxon,
1705 Vous tous ! que venait-on faire ici ? parlez.

HERNANI, *faisant un pas.*

Sire,
La chose est toute simple, et l'on peut vous la dire.
Nous gravions la sentence au mur de Balthazar.

Il tire un poignard et l'agite.

Nous rendions à César ce qu'on doit à César.

DON CARLOS

Paix !

À don Ruy Gomez.

– Vous traître, Silva ?

DON RUY GOMEZ
Lequel de nous deux, sire ?

HERNANI, *se retournant vers les conjurés.*
1710 Nos têtes et l'empire ! – il a ce qu'il désire.

À l'empereur.

Le bleu manteau des rois pouvait gêner vos pas.
La pourpre vous va mieux. Le sang n'y paraît pas.

DON CARLOS, *à don Ruy Gomez.*
Mon cousin de Silva, c'est une félonie
À faire du blason rayer ta baronnie !
5 C'est haute trahison, don Ruy, songes-y bien !

DON RUY GOMEZ
Les rois Rodrigue font les comtes Julien !

DON CARLOS, *au duc d'Alcala.*
Ne prenez que ce qui peut être duc ou comte.
– Le reste !...

*Don Ruy Gomez, le duc de Lutzelbourg, le duc de Gotha,
don Juan de Haro, don Guzman de Lara, don Tellez Giron, le baron de
Hohenbourg se séparent du groupe des conjurés, parmi lesquels est
resté Hernani. Le duc d'Alcala les entoure étroitement de gardes.*

DOÑA SOL
Il est sauvé !

HERNANI, *sortant du groupe des conjurés.*
Je prétends qu'on me compte !

À don Carlos.

Puisqu'il s'agit de hache ici, que Hernani,
10 Pâtre obscur, sous tes pieds passerait impuni,
Puisque son front n'est plus au niveau de ton glaive,
Puisqu'il faut être grand pour mourir, je me lève.
Dieu qui donne le sceptre et qui te le donna
M'a fait duc de Segorbe et duc de Cardona,
15 Marquis de Monroy, comte Albatera, vicomte
De Gor, seigneur de lieux dont j'ignore le compte.
Je suis Jean d'Aragon, grand maître d'Avis, né
Dans l'exil, fils proscrit d'un père assassiné
Par sentence du tien, roi Carlos de Castille !
20 Le meurtre est entre nous affaire de famille.
Vous avez l'échafaud, nous avons le poignard.

Donc le ciel m'a fait duc et l'exil montagnard.
Mais puisque j'ai sans fruit aiguisé mon épée
Sur les monts, et dans l'eau des torrents retrempée,

> *Il met son chapeau.*
> *Aux autres conjurés.*

1735 Couvrons-nous, grands d'Espagne ! –

> *Tous les Espagnols se couvrent.*
> *À don Carlos.*

> Oui, nos têtes, ô roi,
Ont le droit de tomber couvertes devant toi !

> *Aux prisonniers.*

– Silva ! Haro ! Lara ! gens de titre et de race,
Place à Jean d'Aragon ! ducs et comtes ! ma place !

> *Aux courtisans et aux gardes.*

Je suis Jean d'Aragon, roi, bourreaux et valets !
1740 Et si vos échafauds sont petits, changez-les !

> *Il vient se joindre au groupe des seigneurs prisonniers.*

DOÑA SOL

Ciel !

DON CARLOS
En effet, j'avais oublié cette histoire.

HERNANI
Celui dont le flanc saigne a meilleure mémoire.
L'affront, que l'offenseur oublie en insensé,
Vit et toujours remue au cœur de l'offensé !

DON CARLOS
1745 Donc je suis, c'est un titre à n'en point vouloir d'autres,
Fils de pères qui font choir la tête des vôtres !

DOÑA SOL, *se jetant à genoux devant l'empereur.*
Sire ! pardon ! pitié ! Sire, soyez clément !
Ou frappez-nous tous deux, car il est mon amant,
Mon époux ! en lui seul je respire. – Oh ! je tremble.

Sire ! ayez la pitié de nous tuer ensemble !
Majesté ! je me traîne à vos sacrés genoux !
Je l'aime ! il est à moi, comme l'empire à vous !
Oh ! grâce !...

> *Don Carlos la regarde, immobile.*

– Quel penser sinistre vous absorbe ?...

DON CARLOS

Allons ! relevez-vous, duchesse de Segorbe,
Comtesse Albatera, marquise de Monroy...

> *À Hernani.*

– Tes autres noms, don Juan ? –

HERNANI
Qui parle ainsi ? le roi ?

DON CARLOS

Non, l'empereur.

DOÑA SOL, *se relevant.*
Grand Dieu !

DON CARLOS, *la montrant à Hernani.*
Duc, voilà ton épouse !

HERNANI, *les yeux au ciel, et doña Sol dans ses bras.*
Juste Dieu !

DON CARLOS, *à don Ruy Gomez.*
Mon cousin, ta noblesse est jalouse,
Je sais. – Mais Aragon peut épouser Silva.

DON RUY GOMEZ, *sombre.*
Ce n'est pas ma noblesse !

HERNANI, *regardant doña Sol avec amour
et la tenant embrassée.*
Oh ! ma haine s'en va !

> *Il jette son poignard.*

DON RUY GOMEZ, *à part, les regardant tous deux.*
Éclaterai-je ? oh non ! Fol amour ! douleur folle !
Tu leur ferais pitié, vieille tête espagnole !
Vieillard, brûle sans flamme, aime et souffre en secret,
Laisse ronger ton cœur ! Pas un cri. – L'on rirait !

DOÑA SOL, *dans les bras d'Hernani.*
1765 Ô mon duc !

HERNANI
Je n'ai plus que de l'amour dans l'âme.

DOÑA SOL
Ô bonheur !

DON CARLOS, *à part, la main dans sa poitrine.*
Éteins-toi, cœur jeune et plein de flamme !
Laisse régner l'esprit, que longtemps tu troublas :
Tes amours désormais, tes maîtresses, hélas !
C'est l'Allemagne, c'est la Flandre, c'est l'Espagne.

L'œil fixé sur sa bannière.

1770 L'empereur est pareil à l'aigle, sa compagne.
À la place du cœur, il n'a qu'un écusson.

HERNANI
Ah ! vous êtes César !

DON CARLOS, *à Hernani.*
De ta noble maison,
Don Juan, ton cœur est digne.

Montrant doña Sol.

Il est digne aussi d'elle.
– À genoux, duc !

*Hernani s'agenouille. Don Carlos détache
sa Toison d'or et la lui passe au cou.*

– Reçois ce collier.

Don Carlos tire son épée et l'en frappe trois fois sur l'épaule.

Sois fidèle !

5 Par saint Étienne, duc, je te fais chevalier.

Il le relève et l'embrasse.

Mais tu l'as, le plus doux et le plus beau collier,
Celui que je n'ai pas, qui manque au rang suprême,
Les deux bras d'une femme aimée et qui vous aime !
Ah ! tu vas être heureux ; – moi, je suis empereur.

Aux conjurés.

0 Je ne sais plus vos noms, messieurs. – Haine et fureur,
Je veux tout oublier. Allez, je vous pardonne !
C'est la leçon qu'au monde il convient que je donne.
Ce n'est pas vainement qu'à Charles Premier, roi,
L'empereur Charles Quint succède, et qu'une loi
5 Change, aux yeux de l'Europe, orpheline éplorée,
L'Altesse catholique en majesté sacrée.

Les conjurés tombent à genoux.

LES CONJURÉS
Gloire à Carlos !

DON RUY GOMEZ, *à don Carlos.*
Moi seul, je reste condamné.

DON CARLOS
Et moi !

HERNANI
Je ne hais plus. Carlos a pardonné.
Qui donc nous change tous ainsi ?

TOUS, *soldats, conjurés, seigneurs.*
Vive Allemagne !
0 Honneur à Charles Quint !

DON CARLOS, *se tournant vers le tombeau.*
Honneur à Charlemagne !
Laissez-nous seuls tous deux.

Tous sortent.

Don Carlos, *seul*

Il s'incline devant le tombeau.

Es-tu content de moi ?
Ai-je bien dépouillé les misères du roi ?
Charlemagne ! empereur, suis-je bien un autre homme ?
Puis-je accoupler mon casque à la mitre de Rome ?
1795 Aux fortunes du monde ai-je droit de toucher ?
Ai-je un pied sûr et ferme, et qui puisse marcher
Dans ce sentier, semé des ruines vandales,
Que tu nous as battu de tes larges sandales ?
Ai-je bien à ta flamme allumé mon flambeau ?
1800 Ai-je compris la voix qui parle en ton tombeau ?
– Ah ! j'étais seul, perdu, seul devant un empire,
Tout un monde qui hurle, et menace, et conspire ;
Le Danois à punir, le Saint-Père à payer,
Venise, Soliman, Luther, François Premier,
1805 Mille poignards jaloux luisant déjà dans l'ombre,
Des pièges, des écueils, des ennemis sans nombre,
Vingt peuples dont un seul ferait peur à vingt rois,
Tout pressé, tout pressant, tout à faire à la fois !
Je t'ai crié : – Par où faut-il que je commence ?
1810 Et tu m'as répondu : – Mon fils, par la clémence ?

ACTE V

LA NOCE

SARAGOSSE

Une terrasse du palais d'Aragon. Au fond, la rampe d'un escalier qui s'enfonce dans le jardin. À droite et à gauche, deux portes donnant sur cette terrasse, que ferme au fond du théâtre une balustrade surmontée de deux rangs d'arcades moresques, au-dessus et au travers desquelles on voit les jardins du palais, les jets d'eau dans l'ombre, les bosquets avec des lumières qui s'y promènent, et au fond les faîtes gothiques et arabes du palais illuminé. – Il est nuit. On entend des fanfares éloignées. – Des masques, des dominos, épars, isolés ou groupés, traversent çà et là la terrasse. Sur le devant du théâtre, un groupe de jeunes seigneurs, les masques à la main, riant et causant à grand bruit.

SCÈNE PREMIÈRE

DON SANCHO SANCHEZ DE ZUNIGA, *comte de Monterey*, DON MATIAS CENTURION, *marquis d'Almuñan*, DON RICARDO DE ROXAS, *comte de Casapalma*, DON FRANCISCO DE SOTOMAYOR, *comte de Velalcazar*, DON GARCI SUAREZ DE CARBAJAL, *comte de Peñalver*

DON GARCI

Ma foi, vive la joie et vive l'épousée !

DON MATIAS, *regardant au balcon.*

Saragosse ce soir se met à la croisée.

DON GARCI

Et fait bien ! on ne vit jamais noce aux flambeaux
Plus gaie, et nuit plus douce, et mariés plus beaux !

DON MATIAS

Bon empereur !

DON SANCHO

      Marquis, certain soir qu'à la brune
Nous allions avec lui tous deux cherchant fortune,
Qui nous eût dit qu'un jour tout finirait ainsi ?

DON RICARDO, *l'interrompant.*

J'en étais.

Aux autres.

      Écoutez l'histoire que voici :
Trois galants, un bandit que l'échafaud réclame,
1820 Puis un duc, puis un roi, d'un même cœur de femme
Font le siège à la fois. – L'assaut donné, qui l'a ?
C'est le bandit.

DON FRANCISCO

      Mais rien que de simple en cela.
L'amour et la fortune, ailleurs comme en Espagne,
Sont jeux de dés pipés. C'est le voleur qui gagne !

DON RICARDO

1825 Moi, j'ai fait ma fortune à voir faire l'amour.
D'abord comte, puis grand, puis alcade de cour,
J'ai fort bien employé mon temps, sans qu'on s'en doute.

DON SANCHO

Le secret de Monsieur, c'est d'être sur la route
Du roi...

DON RICARDO

      Faisant valoir mes droits, mes actions...

DON GARCI

1830 Vous avez profité de ses distractions.

DON MATIAS

Que devient le vieux duc ? fait-il clouer sa bière ?

DON SANCHO

Marquis, ne riez pas. Car c'est une âme fière.
Il aimait doña Sol, ce vieillard. Soixante ans
Ont fait ses cheveux gris, un jour les a faits blancs !

Don Garci

Il n'a pas reparu, dit-on, à Saragosse ?

Don Sancho

Vouliez-vous pas qu'il mît son cercueil de la noce ?

Don Francisco

Et que fait l'empereur ?

Don Sancho

L'empereur aujourd'hui
Est triste. Le Luther lui donne de l'ennui.

Don Ricardo

Ce Luther, beau sujet de soucis et d'alarmes !
Que j'en finirais vite avec quatre gendarmes !

Don Matias

Le Soliman aussi lui fait ombre.

Don Garci

Ah ! Luther !
Soliman, Neptunus, le diable et Jupiter,
Que me font ces gens-là ? les femmes sont jolies,
La mascarade est rare, et j'ai dit cent folies !

Don Sancho

Voilà l'essentiel.

Don Ricardo

Garci n'a point tort. Moi,
Je ne suis plus le même un jour de fête, et croi
Qu'un masque que je mets me fait une autre tête,
En vérité !

Don Sancho, *bas à don Matias.*

Que n'est-ce alors tous les jours fête !

Don Francisco, *montrant la porte à droite.*

Messeigneurs, n'est-ce pas la chambre des époux ?

Don Garci, *avec un signe de tête.*

Nous les verrons venir dans l'instant.

DON FRANCISCO
                    Croyez-vous ?

DON GARCI

Hé ! sans doute !

DON FRANCISCO
            Tant mieux. L'épousée est si belle !

DON RICARDO

Que l'empereur est bon ! – Hernani, ce rebelle,
Avoir la Toison d'Or ! – marié ! – pardonné !
Loin de là, s'il m'eût cru, l'empereur eût donné
1855 Lit de pierre au galant, lit de plume à la dame.

            DON SANCHO, *bas à don Matias.*
Que je le crèverais volontiers de ma lame !
Faux seigneur de clinquant recousu de gros fil !
Pourpoint de comte, empli de conseils d'alguazil !

            DON RICARDO, *s'approchant.*
Que dites-vous là ?

                DON MATIAS, *bas à don Sancho.*
                Comte, ici pas de querelle !

                                À don Ricardo.

1860 Il me chante un sonnet de Pétrarque à sa belle.

DON GARCI
Avez-vous remarqué, Messieurs, parmi les fleurs,
Les femmes, les habits de toutes les couleurs,
Ce spectre, qui, debout contre une balustrade,
De son domino noir tachait la mascarade ?

DON RICARDO
1865 Oui, pardieu !

            DON GARCI
            Qu'est-ce donc ?

                DON RICARDO
                    Mais sa taille, son air...
C'est don Prancasio, général de la mer.

DON FRANCISCO

Non.

DON GARCI

Il n'a pas quitté son masque.

DON FRANCISCO

Il n'avait garde.
C'est le duc de Soma qui veut qu'on le regarde.
Rien de plus.

DON RICARDO

Non. Le duc m'a parlé.

DON GARCI

Qu'est-ce alors
Que ce masque ? – Tenez, le voilà.

Entre un domino noir qui traverse lentement le fond du théâtre. Tous se retournent et le suivent des yeux sans qu'il paraisse y prendre garde.

DON SANCHO

Si les morts
Marchent, voici leur pas.

DON GARCI, *courant au domino noir.*
Beau masque !

Le domino noir se retourne et s'arrête. Garci recule.

Sur mon âme,
Messeigneurs, dans ses yeux j'ai vu luire une flamme.

DON SANCHO

Si c'est le diable, il trouve à qui parler.

Il va au domino noir, toujours immobile.

Mauvais !
Nous viens-tu de l'enfer ?

LE MASQUE

Je n'en viens pas, j'y vais.

Il reprend sa marche, et disparaît par la rampe de l'escalier.
Tous le suivent des yeux avec une sorte d'effroi.

DON MATIAS

1875 La voix est sépulcrale, autant qu'on le peut dire.

DON GARCI

Baste ! ce qui fait peur ailleurs, au bal fait rire !

DON SANCHO

Quelque mauvais plaisant !

DON GARCI

Ou si c'est Lucifer
Qui vient nous voir danser en attendant l'enfer,
Dansons !

DON SANCHO

C'est, à coup sûr, quelque bouffonnerie.

DON MATIAS

1880 Nous le saurons demain.

DON SANCHO, *à don Matias.*
Regardez, je vous prie.

Que devient-il ?

DON MATIAS, *à la balustrade de la terrasse.*
Il a descendu l'escalier.

– Plus rien.

DON SANCHO

C'est un plaisant drôle !

Rêvant.

C'est singulier.

DON GARCI, *à une dame qui passe.*
Marquise, dansons-nous celle-ci ?

Il la salue et lui présente la main.

LA DAME

Mon cher comte,
Vous savez, avec vous, que mon mari les compte.

DON GARCI

Raison de plus. Cela l'amuse apparemment.
C'est son plaisir. Il compte et nous dansons.

La dame lui donne la main et ils sortent.

DON SANCHO, *pensif.*

Vraiment,
C'est singulier.

DON MATIAS

Voici les mariés. Silence.

*Entrent Hernani et doña Sol se donnant la main. Doña Sol
en magnifique habit de mariée. Hernani tout en velours noir,
avec la Toison d'Or au cou. Derrière eux, foule de masques, de
dames et de seigneurs qui leur font cortège. Deux hallebardiers en
riche livrée les suivent, et quatre pages les précèdent.
Tout le monde se range et s'incline sur leur passage. Fanfares.*

SCÈNE II

LES MÊMES, HERNANI, DOÑA SOL, SUITE

HERNANI, *saluant.*

Chers amis !...

DON RICARDO, *allant à lui et s'inclinant.*
Ton bonheur fait le nôtre, excellence !

DON FRANCISCO, *contemplant doña Sol.*
Saint Jacques monseigneur ! c'est Vénus qu'il conduit !

DON MATIAS

D'honneur, on est heureux un pareil jour la nuit !

DON FRANCISCO, *montrant à don Matias la chambre nuptiale.*
Qu'il va se passer là de gracieuses choses !
Être fée, et tout voir, feux éteints, portes closes,
Serait-ce pas charmant ?

DON SANCHO, *à don Matias.*
Il est tard. Partons-nous ?

Tous vont saluer les mariés et sortent, les uns
par la porte, les autres par l'escalier du fond.

HERNANI, *les reconduisant.*

Dieu vous garde !

DON SANCHO, *resté le dernier, lui serre la main.*
Soyez heureux.

Il sort.
Hernani et doña Sol restent seuls. – Bruit de pas et de voix
qui s'éloignent, puis cessent tout à fait. Pendant tout le
commencement de la scène qui suit, les fanfares et les
lumières éloignées s'éteignent par degrés. La nuit et le
silence reviennent peu à peu.

SCÈNE III

HERNANI, DOÑA SOL

DOÑA SOL
Ils s'en vont tous

1895 Enfin !

HERNANI, *cherchant à l'attirer dans ses bras.*
Cher amour !

DOÑA SOL, *rougissant et reculant.*
C'est... qu'il est tard, ce me semble...

HERNANI
Ange ! Il est toujours tard pour être seuls ensemble !

DOÑA SOL
Ce bruit me fatiguait ! – N'est-ce pas, cher seigneur,
Que toute cette joie étourdit le bonheur ?

HERNANI
Tu dis vrai. Le bonheur, amie, est chose grave.
1900 Il veut des cœurs de bronze et lentement s'y grave.
Le plaisir l'effarouche en lui jetant des fleurs.
Son sourire est moins près du rire que des pleurs !

DOÑA SOL

Dans vos yeux ce sourire est le jour.

Hernani cherche à l'entraîner vers la porte. Elle rougit.

– Tout à l'heure.

HERNANI

Oh ! je suis ton esclave ! – Oui, demeure, demeure !
Fais ce que tu voudras. Je ne demande rien.
Tu sais ce que tu fais ! ce que tu fais est bien !
Je rirai si tu veux, je chanterai. Mon âme
Brûle… Eh ! dis au volcan qu'il étouffe sa flamme,
Le volcan fermera ses gouffres entrouverts,
Et n'aura sur ses flancs que fleurs et gazons verts !
Car le géant est pris, le Vésuve est esclave,
Et que t'importe, à toi, son cœur rongé de lave ?
Tu veux des fleurs ! c'est bien. Il faut que de son mieux
Le volcan tout brûlé s'épanouisse aux yeux !

DOÑA SOL

Oh ! que vous êtes bon pour une pauvre femme,
Hernani de mon cœur !

HERNANI

Quel est ce nom, Madame ?
Oh ! ne me nomme plus de ce nom, par pitié !
Tu me fais souvenir que j'ai tout oublié !
Je sais qu'il existait autrefois, dans un rêve,
Un Hernani, dont l'œil avait l'éclair du glaive,
Un homme de la nuit et des monts, un proscrit
Sur qui le mot *vengeance* était partout écrit !
Un malheureux traînant après lui l'anathème !
Mais je ne connais pas ce Hernani. – Moi, j'aime
Les prés, les fleurs, les bois, le chant du rossignol.
Je suis Jean d'Aragon, mari de doña Sol !
Je suis heureux !

DOÑA SOL

Je suis heureuse !

HERNANI

Que m'importe

Les haillons qu'en entrant j'ai laissés à la porte !
Voici que je reviens à mon palais en deuil.
1930 Un ange du Seigneur m'attendait sur le seuil.
J'entre, et remets debout les colonnes brisées,
Je rallume le feu, je rouvre les croisées,
Je fais arracher l'herbe au pavé de la cour,
Je ne suis plus que joie, enchantement, amour.
1935 Qu'on me rende mes tours, mes donjons, mes bastilles,
Mon panache, mon siège au conseil des Castilles,
Vienne ma doña Sol, rouge et le front baissé,
Qu'on nous laisse tous deux, et le reste est passé !
Je n'ai rien vu, rien dit, rien fait, je recommence,
1940 J'efface tout, j'oublie ! Ou sagesse ou démence,
Je vous ai, je vous aime, et vous êtes mon bien !

DOÑA SOL

Que sur ce velours noir ce collier d'or fait bien !

HERNANI

Vous vîtes avant moi le roi mis de la sorte.

DOÑA SOL

Je n'ai pas remarqué. – Tout autre, que m'importe !
1945 Puis, est-ce le velours ou le satin encor ?
Non, mon duc. C'est ton cou qui sied au collier d'or !
Vous êtes noble et fier, monseigneur.

Il veut l'entraîner.

– Tout à l'heure !

– Un moment ! – Vois-tu bien ? c'est la joie, et je pleure.
Viens voir la belle nuit !

Elle va à la balustrade.

– Mon duc, rien qu'un moment !
1950 Le temps de respirer et de voir seulement !
Tout s'est éteint, flambeaux et musique de fête.
Rien que la nuit et nous ! Félicité parfaite !
Dis, ne le crois-tu pas ? Sur nous, tout en dormant,
La nature à demi veille amoureusement.
1955 La lune est seule aux cieux, qui comme nous repose,

Et respire avec nous l'air embaumé de rose !
Regarde : plus de feux, plus de bruit. Tout se tait.
La lune tout à l'heure à l'horizon montait,
Tandis que tu parlais, sa lumière qui tremble
Et ta voix, toutes deux m'allaient au cœur ensemble ;
Je me sentais joyeuse et calme, ô mon amant !
Et j'aurais bien voulu mourir en ce moment.

HERNANI

Ah ! qui n'oublierait tout à cette voix céleste ?
Ta parole est un chant où rien d'humain ne reste.
Et comme un voyageur sur un fleuve emporté,
Qui glisse sur les eaux par un beau soir d'été,
Et voit fuir sous ses yeux mille plaines fleuries,
Ma pensée entraînée erre en tes rêveries !

DOÑA SOL

Ce silence est trop noir. Ce calme est trop profond.
Dis, ne voudrais-tu point voir une étoile au fond ?
Ou qu'une voix des nuits, tendre et délicieuse,
S'élevant tout à coup, chantât ?...

HERNANI, *souriant.*

                    Capricieuse !
Tout à l'heure on fuyait la lumière et les chants !

DOÑA SOL

Le bal ! – Mais un oiseau qui chanterait aux champs !
Un rossignol, perdu dans l'ombre et dans la mousse,
Ou quelque flûte au loin !... – Car la musique est douce,
Fait l'âme harmonieuse, et, comme un divin chœur,
Éveille mille voix qui chantent dans le cœur !
– Ah ! ce serait charmant !

                On entend le bruit lointain d'un cor dans l'ombre.

                    – Dieu ! je suis exaucée !

HERNANI, *tressaillant, à part.*

Ah ! malheureuse !

DOÑA SOL

Un ange a compris ma pensée,

– Ton bon ange sans doute ?

> HERNANI, *amèrement.*
>> Oui, mon bon ange !

>>>>> *À part.*
>>>> Encor !...

>> DOÑA SOL, *souriant.*

Don Juan, je reconnais le son de votre cor !

>>> HERNANI

N'est-ce pas ?

>>> DOÑA SOL
>> Seriez-vous dans cette sérénade

De moitié ?

>>> HERNANI
>> De moitié, tu l'as dit.

>>> DOÑA SOL
>>> Bal maussade !

1985 Ah ! que j'aime bien mieux le cor au fond des bois !...
Et puis, c'est votre cor, c'est comme votre voix.

>>>> *Le cor recommence.*

>>> HERNANI, *à part.*

Ah ! le tigre est en bas qui hurle et veut sa proie !

>>> DOÑA SOL

Don Juan, cette harmonie emplit le cœur de joie !...

>>> HERNANI, *se levant terrible.*

Nommez-moi Hernani ! nommez-moi Hernani !
1990 Avec ce nom fatal je n'en ai pas fini !

>>> DOÑA SOL, *tremblante.*

Qu'avez-vous ?

>>> HERNANI
>> Le vieillard !

DOÑA SOL

Dieu ! quels regards funèbres !

Qu'avez-vous ?

HERNANI

Le vieillard qui rit dans les ténèbres !
– Ne le voyez-vous pas ?

DOÑA SOL

Où vous égarez-vous ?

Qu'est-ce que ce vieillard ?

HERNANI

Le vieillard !

DOÑA SOL

À genoux

Je t'en supplie, oh ! dis ! quel secret te déchire ?
Qu'as-tu ?

HERNANI

Je l'ai juré !

DOÑA SOL

Juré !

Elle suit tous ses mouvements avec anxiété.
Il s'arrête tout à coup et passe la main sur son front.

HERNANI, *à part.*

Qu'allais-je dire ?

Épargnons-la.

Haut.

Moi, rien. De quoi t'ai-je parlé ?

DOÑA SOL

Vous avez dit...

HERNANI

Non, non... j'avais l'esprit troublé...
Je souffre un peu, vois-tu. N'en prends pas d'épouvante.

DOÑA SOL

2000 Te faut-il quelque chose ? ordonne à ta servante !

Le cor recommence.

HERNANI, *à part.*

Il le veut ! il le veut ! il a mon serment !

Cherchant son poignard.

– Rien.

Ce devrait être fait ! – Ah !...

DOÑA SOL

Tu souffres donc bien ?

HERNANI

Une blessure ancienne, et qui semblait fermée,
Se rouvre...

À part.

Éloignons-la.

Haut.

Doña Sol, bien-aimée,
2005 Écoute, ce coffret qu'en des jours moins heureux
Je portais avec moi...

DOÑA SOL

Je sais ce que tu veux.
Eh bien, qu'en veux-tu faire ?

HERNANI

Un flacon qu'il renferme
Contient un élixir qui pourra mettre un terme
Au mal que je ressens... Va !

DOÑA SOL

J'y vais, monseigneur.

Elle sort par la porte de la chambre nuptiale.

HERNANI, *seul*

0 Voilà donc ce qu'il vient faire de mon bonheur !
Voici le doigt fatal qui luit sur la muraille !
Oh ! que la destinée amèrement me raille !

> *Il tombe dans une profonde et convulsive
> rêverie, puis se détourne brusquement.*

Eh bien ?... – Mais tout se tait. Je n'entends rien venir.
Si je m'étais trompé !...

> *Le Masque en domino noir paraît au haut de la rampe.
> Hernani s'arrête pétrifié.*

SCÈNE V

HERNANI, LE MASQUE

LE MASQUE
« Quoi qu'il puisse advenir,
5 « Quand tu voudras, vieillard, quel que soit le lieu, l'heure,
« S'il te passe à l'esprit qu'il est temps que je meure,
« Viens, sonne de ce cor, et ne prends d'autres soins.
« Tout sera fait. » – Ce pacte eut les morts pour témoins.
Eh bien, tout est-il fait ?

HERNANI, *à voix basse.*
C'est lui !

LE MASQUE
Dans ta demeure
0 Je viens, et je te dis qu'il est temps. C'est mon heure.
Je te trouve en retard.

HERNANI
Bien. Quel est ton plaisir ?
Que feras-tu de moi ? Parle.

LE MASQUE
Tu peux choisir

Du fer ou du poison. Ce qu'il faut, je l'apporte.
Nous partirons tous deux.

HERNANI

Soit.

LE MASQUE

Prions-nous ?

HERNANI

Qu'importe !

LE MASQUE

2025   Que prends-tu ?

HERNANI

Le poison.

LE MASQUE

Bien ! Donne-moi ta main.

Il présente une fiole à Hernani, qui la reçoit en pâlissant.

Bois, pour que je finisse.

Hernani approche la fiole de ses lèvres, puis recule.

HERNANI

Oh ! par pitié ! demain ! –

Oh ! s'il te reste un cœur, duc, ou du moins une âme ;
Si tu n'es pas un spectre échappé de la flamme ;
Un mort damné, fantôme ou démon désormais ;
2030   Si Dieu n'a point encor mis sur ton front : « Jamais ! »
Si tu sais ce que c'est que ce bonheur suprême
D'aimer, d'avoir vingt ans, d'épouser quand on aime ;
Si jamais femme aimée a tremblé dans tes bras,
Attends jusqu'à demain. – Demain tu reviendras !

LE MASQUE

2035   Simple qui parle ainsi ! demain ! demain ! – tu railles !
Ta cloche a ce matin sonné tes funérailles !
Et que ferais-je, moi, cette nuit ? J'en mourrais.
Et qui viendrait te prendre et t'emporter après ?
Seul descendre au tombeau ! Jeune homme, il faut me suivre !

HERNANI

40 Eh bien, non ! et de toi, démon, je me délivre !
Je n'obéirai pas.

LE MASQUE

Je m'en doutais. – Fort bien.
Sur quoi donc m'as-tu fait ce serment ? Ah ! sur rien.
Peu de chose après tout ! La tête de ton père.
Cela peut s'oublier. La jeunesse est légère.

HERNANI

45 Mon père ! – Mon père !... – Ah ! j'en perdrai la raison !...

LE MASQUE

Non, ce n'est qu'un parjure et qu'une trahison.

HERNANI

Duc !...

LE MASQUE

Puisque les aînés des maisons espagnoles
Se font jeu maintenant de fausser leurs paroles,

Il fait un pas pour sortir.

Adieu !

HERNANI

Ne t'en va pas.

LE MASQUE
Alors...

HERNANI
Vieillard cruel !

Il prend la fiole.

50 Revenir sur mes pas à la porte du ciel !...

Rentre doña Sol, sans voir le masque qui est debout
près de la rampe au fond du théâtre.

SCÈNE VI

LES MÊMES, DOÑA SOL

DOÑA SOL

Je n'ai pu le trouver, ce coffret.

HERNANI, *à part.*

Dieu ! c'est elle !

Dans quel moment !

DOÑA SOL

Qu'a-t-il ? je l'effraie, il chancelle
À ma voix ! – Que tiens-tu dans ta main ? quel soupçon !
Que tiens-tu dans ta main ? réponds.

*Le domino se démasque. Elle pousse
un cri et reconnaît don Ruy.*

– C'est du poison !

HERNANI

2055   Grand Dieu !

DOÑA SOL, *à Hernani.*

Que t'ai-je fait ? quel horrible mystère !...
Vous me trompiez, don Juan !...

HERNANI

Ah ! j'ai dû te le taire.
J'ai promis de mourir au duc qui me sauva.
Aragon doit payer cette dette à Silva.

DOÑA SOL

Vous n'êtes pas à lui, mais à moi. Que m'importe
2060   Tous vos autres serments !

À don Ruy Gomez.

Duc, l'amour me rend forte.
Contre vous, contre tous, duc, je le défendrai.

DON RUY GOMEZ, *immobile.*

Défends-le, si tu peux, contre un serment juré.

DOÑA SOL

Quel serment ?

HERNANI

    J'ai juré.

DOÑA SOL

             Non, non ; rien ne te lie ;
Cela ne se peut pas ! crime, attentat, folie !

DON RUY GOMEZ

65 Allons, duc !

Hernani fait un geste pour obéir. Doña Sol cherche à l'arrêter.

HERNANI

    Laissez-moi, doña Sol, il le faut.
Le duc a ma parole, et mon père est là-haut !

DOÑA SOL, *à don Ruy.*

Il vaudrait mieux pour vous aller aux tigres même
Arracher leurs petits, qu'à moi celui que j'aime.
Savez-vous ce que c'est que doña Sol ? Longtemps,
70 Par pitié pour votre âge et pour vos soixante ans,
J'ai fait la fille douce, innocente et timide ;
Mais voyez-vous cet œil de pleurs de rage humide ?

Elle tire un poignard de son sein.

Voyez-vous ce poignard ? Ah ! vieillard insensé,
Craignez-vous pas le fer quand l'œil a menacé ?
75 Prenez garde, don Ruy ! – je suis de la famille,
Mon oncle ! – écoutez-moi, fussé-je votre fille,
Malheur si vous portez la main sur mon époux !...

Elle jette le poignard, et tombe à genoux devant le duc.

Ah ! je tombe à vos pieds ! Ayez pitié de nous !
Grâce ! hélas ! monseigneur, je ne suis qu'une femme,
80 Je suis faible, ma force avorte dans mon âme,
Je me brise aisément, je tombe à vos genoux !
Ah ! je vous en supplie, ayez pitié de nous !

DON RUY GOMEZ

Doña Sol !

DOÑA SOL

Pardonnez ! Nous autres Espagnoles,
Notre douleur s'emporte à de vives paroles,
2085 Vous le savez. Hélas ! vous n'étiez pas méchant !
Pitié ! Vous me tuez, mon oncle, en le touchant !
Pitié ! je l'aime tant !...

DON RUY GOMEZ, *sombre*.

Vous l'aimez trop !

HERNANI

Tu pleures !

DOÑA SOL

Non, non, je ne veux pas, mon amour, que tu meures !
Non, je ne le veux pas.

À don Ruy.

Faites grâce aujourd'hui ;
2090 Je vous aimerai bien aussi, vous.

DON RUY GOMEZ

Après lui !
De ces restes d'amour, d'amitié, – moins encore, –
Croyez-vous apaiser la soif qui me dévore ?

Montrant Hernani.

Il est seul ! il est tout ! Mais moi, belle pitié !
Qu'est-ce que je peux faire avec votre amitié ?
2095 Ô rage ! il aurait, lui, le cœur, l'amour, le trône,
Et d'un regard de vous il me ferait l'aumône !
Et s'il fallait un mot à mes vœux insensés
C'est lui qui vous dirait : – Dis cela, c'est assez ! –
En maudissant tout bas le mendiant avide
2100 Auquel il faut jeter le fond du verre vide !
Honte ! dérision ! Non, il faut en finir.
Bois !

HERNANI

Il a ma parole, et je dois la tenir.

DON RUY GOMEZ

Allons !

> *Hernani approche la fiole de ses lèvres.*
> *Doña Sol se jette sur son bras.*

DOÑA SOL

Oh ! pas encor ! Daignez tous deux m'entendre.

DON RUY GOMEZ

Le sépulcre est ouvert, et je ne puis attendre.

DOÑA SOL

05 Un instant, monseigneur ! mon don Juan ! – Ah ! tous deux
Vous êtes bien cruels ! – Qu'est-ce que je veux d'eux ?
Un instant ! voilà tout... tout ce que je réclame !
Enfin, on laisse dire à cette pauvre femme
Ce qu'elle a dans le cœur !... – Oh ! laissez-moi parler !...

DON RUY GOMEZ, *à Hernani.*

10 J'ai hâte.

DOÑA SOL

Messeigneurs ! vous me faites trembler !
Que vous ai-je donc fait ?

HERNANI

Ah ! son cri me déchire.

DOÑA SOL, *lui retenant toujours le bras.*

Vous voyez bien que j'ai mille choses à dire !

DON RUY GOMEZ, *à Hernani.*

Il faut mourir.

DOÑA SOL, *toujours pendue au bras d'Hernani.*

Don Juan, lorsque j'aurai parlé,
Tout ce que tu voudras, tu le feras,

> *Elle lui arrache la fiole.*

Je l'ai.

Elle élève la fiole aux yeux d'Hernani et du vieillard étonné.

DON RUY GOMEZ

2115 Puisque je n'ai céans affaire qu'à deux femmes,
Don Juan, il faut qu'ailleurs j'aille chercher des âmes.
Tu fais de beaux serments par le sang dont tu sors,
Et je vais à ton père en parler chez les morts !
– Adieu !...

Il fait quelques pas pour sortir. Hernani le retient.

HERNANI

Duc, arrêtez.

À doña Sol.

Hélas ! je t'en conjure,
2120 Veux-tu me voir faussaire, et félon, et parjure ?
Veux-tu que partout j'aille avec la trahison
Écrite sur le front ? Par pitié, ce poison,
Rends-le-moi ! Par l'amour, par notre âme immortelle...

DOÑA SOL, *sombre.*

Tu veux ?

Elle boit.

Tiens maintenant.

DON RUY GOMEZ, *à part.*

Ah ! c'était donc pour elle !

DOÑA SOL, *rendant à Hernani la fiole à demi vidée.*
2125 Prends, te dis-je.

HERNANI, *à don Ruy.*
Vois-tu, misérable vieillard ?

DOÑA SOL

Ne te plains pas de moi, je t'ai gardé ta part.

HERNANI, *prenant la fiole.*

Dieu !

DOÑA SOL

Tu ne m'aurais pas ainsi laissé la mienne,
Toi !... Tu n'as pas le cœur d'une épouse chrétienne,

Tu ne sais pas aimer comme aime une Silva.
Mais j'ai bu la première et suis tranquille. – Va !
Bois si tu veux !

HERNANI

Hélas ! qu'as-tu fait, malheureuse ?

DOÑA SOL

C'est toi qui l'as voulu.

HERNANI

C'est une mort affreuse !

DOÑA SOL

Non. – Pourquoi donc ?

HERNANI

Ce philtre au sépulcre conduit.

DOÑA SOL

Devions-nous pas dormir ensemble cette nuit ?
Qu'importe dans quel lit !

HERNANI

Mon père, tu te venges
Sur moi qui t'oubliais !

Il porte la fiole à sa bouche.

DOÑA SOL, *se jetant sur lui.*

Ciel ! des douleurs étranges !...
Ah ! jette loin de toi ce philtre !... ma raison
S'égare. – Arrête ! hélas ! mon don Juan ! ce poison
Est vivant, ce poison dans le cœur fait éclore
Une hydre à mille dents qui ronge et qui dévore !
Oh ! je ne savais pas qu'on souffrît à ce point !
Qu'est-ce donc que cela ? c'est du feu ! ne bois point !
Oh ! tu souffrirais trop !

HERNANI, *à don Ruy.*

Ah ! ton âme est cruelle !
Pouvais-tu pas choisir d'autre poison pour elle ?

Il boit et jette la fiole.

DOÑA SOL

2145 Que fais-tu ?

HERNANI

Qu'as-tu fait ?

DOÑA SOL

Viens, ô mon jeune amant,
Dans mes bras.

Ils s'asseyent l'un près de l'autre.

N'est-ce pas qu'on souffre horriblement ?

HERNANI

Non.

DOÑA SOL

Voilà notre nuit de noces commencée !
Je suis bien pâle, dis, pour une fiancée ?

HERNANI

Ah !

DON RUY GOMEZ

La fatalité s'accomplit.

HERNANI

Désespoir !
2150 Ô tourment ! doña Sol souffrir, et moi le voir !

DOÑA SOL

Calme-toi. Je suis mieux. – Vers des clartés nouvelles
Nous allons tout à l'heure ensemble ouvrir nos ailes
Partons d'un vol égal vers un monde meilleur.
Un baiser seulement, un baiser !

Ils s'embrassent.

DON RUY GOMEZ

Ô douleur !

HERNANI, *d'une voix affaiblie.*

2155 Oh ! béni soit le ciel qui m'a fait une vie
D'abîmes entourée et de spectres suivie,

Mais qui permet que, las d'un si rude chemin,
Je puisse m'endormir, ma bouche sur ta main !

Don Ruy Gomez

Qu'ils sont heureux !

Hernani, *d'une voix de plus en plus faible.*

Viens... viens... doña Sol, tout est sombre...
Souffres-tu ?

Doña Sol, *d'une voix également éteinte.*

Rien, plus rien.

Hernani

Vois-tu des feux dans l'ombre ?

Doña Sol

Pas encor.

Hernani, *avec un soupir.*

Voici...

Il tombe.

Don Ruy Gomez, *soulevant sa tête qui retombe.*

Mort !

Doña Sol, *échevelée et se dressant à demi sur son séant.*

Mort ! non pas !... nous dormons.
Il dort ! c'est mon époux, vois-tu, nous nous aimons,
Nous sommes couchés là. C'est notre nuit de noce.

D'une voix qui s'éteint.

Ne le réveillez pas, seigneur duc de Mendoce...
Il est las.

Elle retourne la figure d'Hernani.

Mon amour, tiens-toi vers moi tourné.
Plus près... plus près encor...

Elle retombe.

Don Ruy Gomez

Morte !... Oh ! je suis damné !...

Il se tue.

Achevé d'imprimer en Italie
par Grafica Veneta
en juillet 2013

Dépôt légal juillet 2013
EAN 9782290075654
OTP L21ELLN000553N001

Ce texte est composé en Lemonde journal et en Akkurat

Conception des principes de mise en page :
mecano, Laurent Batard

Composition
Nord Compo

ÉDITIONS J'AI LU
87, quai Panhard-et-Levassor, 75013 Paris
Diffusion France et étranger : Flammarion

Librio

778